BUZZ

Publisher ANDERSON CAVALCANTE
Editora TAMIRES VON ATZINGEN
Assistente editorial JOÃO L. ZUVELA
Preparação NATHAN MATOS
Revisão CRISTIANE MARUYAMA, GABRIELA ZEOTI
Projeto gráfico ESTÚDIO GRIFO
Assistente de design FELIPE REGIS

Nesta edição, respeitou-se o novo Acordo Ortográfico da Língua Portuguesa.

Dados Internacionais de Catalogação na Publicação (CIP)
de acordo com ISBD

M3130

Marçal, Pablo
8 caminhos que levam à riqueza / Pablo Marçal
São Paulo: Buzz, 2022
144 pp.
ISBN 978-65-89623-84-7

1. Administração. 2. Negócios. 3. Riqueza.
4. Autogerenciamento. I. Título.

CDD 658.4012
2022-147 CDU 65.011.4

Elaborado por Odilio Hilario Moreira Junior – CRB-8/9949

Índices para catálogo sistemático:
1. Administração: Negócios 658.4012
2. Administração: Negócios 65.011.4

Buzz Editora Ltda.
Av. Paulista, 726 – mezanino
CEP: 01310-100 – São Paulo, SP
[55 11] 4171 2317 | 4171 2318
contato@buzzeditora.com.br
www.buzzeditora.com.br

PABLO MARÇAL

8 CAMINHOS QUE LEVAM À RIQUEZA

7
Prefácio

9
Introdução

23
1º Caminho da riqueza
aquisições, fusões e vendas

35
2º Caminho da riqueza
conhecimento, sabedoria e instrução

46
3º Caminho da riqueza
networking

61
4º Caminho da riqueza
empreender

82
5º Caminho da riqueza
investir

95
6º Caminho da riqueza
criar, produzir e reproduzir

109
7º Caminho da riqueza
storytelling

123
8º Caminho da riqueza
digital: INFO, TECH e ACCESS

135
Conclusão
o fim de cada caminho é
apenas o começo

Prefácio

Recebi com muita alegria o convite do Pablo para escrever este prefácio. É sempre uma satisfação poder contribuir com a difusão de conteúdos relevantes e capazes de incentivar mudanças positivas.

Ao usar o símbolo do infinito, o "Oito Deitado", para explicar conceitos que podem parecer relativamente simples, *8 caminhos que levam à riqueza* nos mostra por que é um livro que pode ser um dos grandes divisores de água na vida de qualquer pessoa que se disponha a sair do mediano.

Logo na Introdução desta obra, lemos que "é necessário, primeiro, fundamentar e alicerçar o conhecimento". Conhecimento é poder, e é com ele que conquistamos a capacidade de sair da estagnação, do lugar-comum. Conquistamos a habilidade de saber quando, como e onde agir, a fim de alcançarmos o que realmente queremos para nós e para a nossa vida. Se todos temos essa oportunidade única de estar aqui, neste momento, neste corpo, eu faço para você a seguinte pergunta: o que você está fazendo com o seu tempo? Com os seus tesouros?

Você precisa encontrá-los, e rápido.

Quando estamos conscientes do que viemos fazer aqui, é natural que, com atenção e bastante sagacidade, saibamos quais serão nossos próximos passos. Porém, não existe receita pronta, e a vida é esse eterno arrumar e desarrumar, já que quem fica parado é poste.

Muito se fala em riqueza e prosperidade, e o que fica nítido, conforme lemos *8 caminhos que levam à riqueza*, é que ser próspero não se resume a ter, a possuir. É somente quando somos capazes de transformar a realidade e a nós mesmos, alcançando um patamar no qual também podemos usufruir de qualquer bem material ou experiência que o dinheiro pode comprar, com saúde e com a nossa família, que alcançamos a verdadeira riqueza, riqueza esta que, sim, pode ser infinita.

Por meio de códigos perspicazes e da clareza de que é preciso sair da caixinha, seja nos negócios ou no que você deseje fazer da sua vida, *8 caminhos que levam à riqueza* será o livro de cabeceira de qualquer um que esteja realmente disposto a começar uma jornada sem volta ao infinito... e além.

Flávio Augusto da Silva
Fundador da Wiser Educação

Introdução

Existe um pacote de riquezas dentro de cada um de nós, aguardando para ser aberto. Se você ainda não o fez, é porque se encontra bloqueado. Neste livro, eu explicarei quais são os 8 Caminhos da Riqueza e os primeiros passos para trilhar cada um deles, de modo que você possa destravar, dominar e governar os recursos que já são seus. Eu testei um, depois os outros e, ao compreender o funcionamento de cada um deles, senti o desejo de governar os oito. Governar de maneira plena e absoluta. Destravar os 8 Caminhos pode ser difícil, mas eu garanto: isso não é impossível! Para alcançar o entendimento necessário, foi preciso, antes de mais nada, buscar fundamentação em suas origens, na gênese, para que eu finalmente pudesse alcançá-los. Isso exigiu de mim estudo, esforço, amadurecimento. Nesse processo, encontrei as bases sólidas para compreender que governar os 8 Caminhos da Riqueza passa pelo entendimento dos sinais contidos no símbolo do infinito, conhecido como o "Oito Deitado". Ele representa o conceito do que seria a eternidade, algo que não tem limite nem fim. Quando você acessa esse circuito infinito, a riqueza nunca acaba, porque você experimenta um eterno recomeçar.

Para muita gente, dominar somente um dos 8 Caminhos pode ser o suficiente. Essa é uma escolha pessoal. Mas pense: por que trilhar apenas um deles se você pode percorrer todos os oito? Você só precisa estar preparado. Quando eu comecei a escrever este livro, admito que quase não consegui concluí-lo. Eu entrava em uma espécie de *looping*, dava voltas em torno do assunto, sem encontrar as palavras certas. Eu simplesmente não entendia o porquê! Então, finalmente, eu percebi a razão. Para compreender de verdade a lógica contida em cada caminho, é necessário, primeiro, fundamentar e alicerçar o conhecimento. Por isso, não pule esta etapa do texto, pois esses ensinamentos serão importantes no momento em que você se encontrar diante de cada caminho. Eu farei o possível para resumir a você somente o essencial.

Em minhas explicações ao longo de cada capítulo, vou usar muitos exemplos de coisas naturais, pois a natureza é rica e próspera, bem como alguns textos da Bíblia. Provavelmente, agora você pensou: "Esse cara é religioso". Quero dizer que você pode ficar à vontade para considerar a Bíblia como um livro sagrado ou como uma obra milenar repleta de conhecimento. De todo modo, a Bíblia é o livro com os códigos mais pesados que eu mesmo já li e você vai entender ao compreender cada Caminho.

Vamos começar por entender do que se trata a verdadeira riqueza. A Palavra diz: "Eu te darei o poder de encontrar tesouros escondidos" (Isaías 45:3). Guarde bem essa expressão: "Tesouros Escondidos"! Por que as pessoas não conseguem encontrar os tesouros escondidos? Porque para acessá-los, é preciso escavar! Se eu quero escavar alguma coisa que está a dez metros de profundidade, eu não consigo fazê-lo com as mãos, ou levarei um século, talvez mais, a depender do tipo de solo. Eu preciso de ferramentas para chegar aonde o tesouro que desejo se encontra. Também não adianta acelerar a escavação se o tesouro que procuro só puder ser alcançado depois de mil horas de trabalho. Mas uma coisa é certa: se eu continuar a escavar, vou encontrá-lo. Deus escondeu tesouros dentro da Terra e também os colocou dentro de nós para transformar as coisas do Reino em prosperidade. Talvez, você se pergunte: "Por que Deus escondeu suas riquezas e para achá-las precisamos escavar?". Ele assim o fez porque sabia dessa grande verdade: algumas pessoas não estão interessadas em produzir. Elas não querem entender a Palavra, tampouco ficar com as mãos calejadas. Deus sabe que alguns de seus filhos preferem pisar em riquezas sem demonstrar o ânimo fundamental para desenterrá-las. Faça uma experiência. Ofereça uma saca de arroz a um preguiçoso. Sabe o que ele vai perguntar? "Esse arroz está com ou sem casca?" O preguiçoso não quer saber do arroz, e sim de não gastar energia para retirar a casca do próprio alimento. Portanto, quando você entende o que é riqueza, nunca mais abrirá mão de acessá-la.

Anote o código

A riqueza já existe: ela está dentro de você.

Do meu lado, desejo escavar as coisas eternas. Quero os tesouros escondidos, não as "balelas" que ficam martelando em nossas cabeças e são repetidas de geração em geração. Como seria bom ter a certeza de que você começasse a remover os escombros e dissesse assim: "Vou comprar uma pá e começar a escavar os meus tesouros!". Porque eu digo: se você realmente está a fim de prosperar, basta escavar. Quando começar, nunca mais você vai parar. Você só precisa mover a pá, retirar a primeira pedra, depois a segunda, a terceira, até encontrar a sua riqueza.

Algumas vezes, fui parado no meio de uma escavação. Eu já fui garimpeiro com meu pai quando era criança e conheço muito bem sobre esse assunto. Portanto, eu sei do que estou falando. Você começa a furar, então bate em uma rocha. Sabe o que eu já ouvi garimpeiro dizer? "Não é aqui o lugar de cavar." Por que razão, para ele, não é ali o lugar? Porque seria preciso pegar uma lambreta, furar, colocar dinamite, explodir. E isso dá muito trabalho! Eu já cansei de ver pessoas mudando diversas vezes de lugar por medo de precisar se esforçar mais onde estavam. Saiba, no entanto, que uma rocha no caminho é apenas um obstáculo que você precisa aprender a vencer. Eu quero que você assimile esse ensinamento muito rápido.

Anote o código

Se você não estiver disposto a cavar, nenhuma ferramenta vai ajudá-lo a acessar a riqueza.

Agora, pense em um rio. Não importa o lugar. Em determinado trecho de seu curso, ele parece bastante veloz. Mas eu nunca vi um rio correr sempre na mesma velocidade, em todo o seu curso ou em todas as estações do ano. Ao longo de seu leito, às vezes surge uma corredeira ou uma cachoeira, alterando seu fluxo, deixando as águas mais lentas ou mais rápidas, mas é o mesmo rio, são as mesmas águas. A diferença é que, em determinado local, existe uma queda, um declive, mais ou menos rochas. Mesmo diante de uma queda, a pressão das águas produz tanta força e energia que, ao chegarem lá embaixo, elas conseguem movimentar turbinas e gerar energia elétrica. Seguindo em frente, no mesmo rio, existem lugares onde ele diminui a sua força e a sua intensidade. Parece muito lento, quase parado, mas esse é somente mais um trecho de seu longo percurso até a foz.

Você é como um rio. Pode correr em diferentes velocidades a cada fase do caminho, mas, assim como os ribeirões, nunca deve parar. Em determinados momentos, você vai fluir suavemente; em outros, conforme a geografia do terreno, seguirá mais rápido, borbulhante, intenso, até assustador. Qual é o segredo do rio? É não parar nunca. Se um rio para e vira represa, ele morre. Agora, me diga: como um rio nasce? Ele não começa pequeno, às vezes, como um fio d'água? As nascentes iniciam a viagem até os oceanos lentamente, mas ao desembocarem estão fortes, caudalosas, poderosas. Essa é a fonte, a gênese, todo o início do rio. Mas veja: se a fonte cortar a água, o rio todo irá secar. O rio precisa da generosidade da fonte e de seus afluentes diariamente para ser perene. Como um rio, você nunca deve se desconectar da fonte, que é o começo, o início, o seu propósito. Se você parar, vai represar a água, e isso significaria o seu fim.

Você pode, agora, me questionar: "Como o rio se assemelha ao símbolo do infinito?". Quando a nascente começa a fluir, o rio segue o seu caminho, com mais ou menos velocidade, variando de acordo com o relevo que irá percorrer. A constância, o ritmo, o ciclo, o movimento das águas, no entanto, nunca é interrompido. De maneira simples e natural, as águas evaporam, transformam-se em nuvens e retornam ao solo na forma de chuva, engrossando novamente o rio e sendo absorvidas pelo lençol freático. É a água do próprio rio que retorna aos vertedouros de sua nascente, reiniciando o seu ciclo. Fica fácil de entender assim, não é?

Da mesma forma que as águas de um rio, o movimento do infinito nunca é interrompido. Você precisa compreender que a Terra não fica pobre com as crises, com as pandemias, com as guerras, com quaisquer outros acontecimentos. Todos os dias, alguém cumpre o circuito do infinito, nunca para e aumenta a sua riqueza. A lição que você precisa aprender aqui é a seguinte:

para trilhar cada um dos 8 Caminhos da Riqueza, nunca mexa em sua própria fonte. Jamais represe as águas do rio que há dentro de você! Não se desespere diante dos obstáculos porque a queda d'água que aparecer e atrapalhar o seu curso pode ser o que faltava para movimentar as turbinas. Basta que as águas se unam, se encontrem, ganhem força e, ao alcançarem o volume necessário, conquistem mais impulso e velocidade.

Anote o código

No infinito não existe pobreza nem escassez.

Talvez, neste momento, você pense: "Seria ótimo se existisse estabilidade". Ora, se a estabilidade prevalecesse, nada prosperaria, tudo seria estático! Todas as coisas se movimentam, e assim deve ser. A Terra gira em seu próprio eixo e em torno do Sol. As nuvens se movem, os animais migram, os ventos sopram. A água da fonte alimenta o rio, que deságua em outro rio, que encontra o mar, de onde vai parar nas nuvens, que a devolvem à terra como chuva, sendo absorvida pelo lençol freático, e assim segue de volta à fonte. O infinito nunca para! Por que você iria desejar estabilidade?

Anote o código

Estabilidade não gera riqueza.

Quando você ingressa no circuito do infinito, ninguém manda em você. Algumas pessoas me perguntam: "Se eu fizer o que você diz, vai dar certo?". Ora, você ainda nem deu conta de fazer meia-volta dentro do símbolo do infinito! Imagine quantas milhões de linhas dentro desse circuito eu já fiz! Quantas vezes eu acordei mais cedo do que você, quantas centenas de livros eu já li a mais do que você, quantas vezes chorei mais do que você na presença do Deus Vivo? No entanto, uma coisa eu asseguro: após entrar no circuito do infinito e começar a percorrê-lo, você nunca mais irá sair, porque será embalado pela energia de seus polos, sucessivamente. Tudo o que você plantar irá colher. E sua colheita será muitas vezes maior do que imagina. Sabe por quê? A sua colheita terá o exato tamanho da semente que você plantar.

Entendeu agora o porquê de o símbolo do infinito ser um renovador de energias? Quanto mais você se movimenta, mais aumenta a sua carga de energia. Você aprende a recomeçar a cada novo amanhecer, pois faz parte de um circuito que não tem começo nem fim. É um circuito que nunca para! Quando você vê pessoas que também estão dando voltas constantes no símbolo do infinito, quando observa o seu resultado e também o de outros, nunca mais vai desejar parar. Terá tanta história e tanto resultado, verá tanta gente transformada que nunca, na vida, vai desistir.

Então, o que fazer para começar a prosperar quando estiver em um dos 8 Caminhos? Coloque as suas sementes em uma fêmea! Somente as fêmeas prosperam. Não adianta plantar a semente em local errado ou infértil. Vou explicar melhor. Eu descobri que tudo que é macho (masculino) não prospera, enquanto tudo que é fêmea (feminino) prospera. Contudo, a fêmea não prospera sem receber a semente do macho. Isso foi assustador aos meus olhos quando percebi o padrão. Primeiro, achei que essa ideia não fizesse sentido. Lembra que afirmei estar cansado de ouvir balelas? Depois, no entanto, refleti melhor sobre a minha constatação. Empresa é fêmea. Aplicação financeira é fêmea. A Terra é fêmea! A lavoura, a fazenda, a mulher, tudo isso são fêmeas. E tantas outras coisas, como as árvores, as plantações, a energia. Eu vi a semente e falei: semente é fêmea. Então, fui atrás da raiz da palavra semente, que nada mais é do que sêmen. O que acontece quando você pega o sêmen e o coloca em uma empresa? Você empreende e obtém uma coisa chamada *lucro*. Quando você pega o sêmen e o aplica, logo vem o retorno. Quando você coloca a semente na terra, surge uma planta. Quando você a põe em uma lavoura, nasce a plantação. Quando você põe sementes em uma fazenda, vem a colheita. Ao pôr o sêmen dentro de uma mulher, vem um filho.

Trabalho é macho, por isso não prospera. O trabalho deve ser visto por você como um manual de instruções que o ajuda a ganhar experiência e aprendizado. Salário, portanto, é somente uma ajuda de custo enquanto você está aprendendo. Depois, você deve fazer como o rio e seguir o seu curso. A maior velocidade que existe é a da luz. A luz é o maior meio de comunicação e de transmissão existente. "Lâmpada para os meus pés é tua palavra, e luz para o meu caminho" (Salmo 119: 105). Se Ele é luz e Ele está em mim, eu sou a luz. O que eu preciso acender? A luz? E que luz é essa? Você!

Agora, quero falar com você sobre o significado de cada um dos sinais matemáticos existentes dentro do "Oito Deitado", o símbolo do infinito, e sua relação com a riqueza. Para isso, preciso que você volte a imaginar o número oito, mas na posição vertical. Observou como o cruzamento das linhas ao centro forma um x em sua parte central? Esse é o símbolo da multiplicação. O lado inferior do oito representa a multiplicação de talentos. O lado superior representa o resultado. Quando você conecta a parte de cima e a de baixo ao percorrer esse circuito, multiplica a energia humana e gera resultados de forma infinita. É assustador! E o que realmente significa multiplicar? Vamos lá. No símbolo do infinito, imagine a palavra "Número" escrita na parte de cima e "Humano", na inferior. O que é esse infinito? "Número e Humano" criam uma dualidade. Se você focar somente uma palavra, por exemplo "Humano", perderá o "Número". Sem "Número", no entanto, não pode acontecer a multiplicação. Muitas vezes, eu vi de perto pessoas excelentes para lidar com gente que nunca ficaram ricas porque não entenderam a importância do "Número". É preciso existir equilíbrio entre as duas partes do símbolo do infinito para obter a multiplicação.

Mais uma vez, imagine o centro do símbolo do infinito, bem no meio do cruzamento das duas linhas. Somente um por cento das pessoas no mundo se encontra no "x" que se forma ali. Percorrer o circuito do símbolo do infinito significa trafegar por esse "x" sem desconexão. Você vai e volta, sempre recomeçando. Faça uma reflexão e avalie a sua vida neste momento. Aconteceu ou está acontecendo algo triste, sério, que trouxe dificuldades? Você foi abandonado, menosprezado, prejudicado, traído? Recomece agora mesmo! Olhe para o número oito e diga firme e convictamente: "Eu vou recomeçar!".

Anote o código

As misericórdias do Senhor se renovam a cada manhã.

Diferentemente dos demais numerais, que vão de 1 a 9, o algarismo 8 não tem pontas. Ele não possui escapes. O "x" sem arestas faz o circuito ir e vir sem parar. Por isso o símbolo do infinito é também o símbolo da riqueza eterna! Poucas pessoas até hoje conseguiram entender isso. Pense no sinal matemático da divisão. Esse é um sinal perigoso. Sabe o que ele representa? Separação, facção e destruição. Pessoas facciosas e contenciosas pensam com o sinal de divisão. Já o sinal de menos ou subtração representa aquele que somente gasta e consome. Eu tenho pena de pessoas assim. Por que pena? Porque eu também já estive nessa situação. Eu já vivi sob esses jugos. Portanto, tenho pena de quem trabalha apenas para pagar as contas, de quem é consumidor e nunca desistirá de agir dessa maneira.

Para deixar ainda mais clara a importância do que estou falando para destravar os 8 Caminhos da Riqueza, vou explicar detalhadamente o que significa cada um dos sinais matemáticos dentro do símbolo do infinito.

Adição ou sinal de "mais". A palavra "mais" é indutiva. Leva o ser humano a se tornar obcecado por alcançar resultados a partir de atos, como juntar, guardar, acumular, poupar, pensando que um dia, em um futuro distante, poderá usufruir dessa poupança. Mesmo que isso signifique uma vida inteira de sacrifícios, de privações, de negação de vivências boas e interessantes, que podem atingir não apenas a ele, mas também a sua família. O poupador não pensa em qualidade de vida, em plenitude. Ele vive apenas para guardar. A linha imaginária que o separa do avarento é muito tênue. Os dois – poupador e avarento – costumam ter um comportamento cotidiano parecido. Avalie os atos de um e de outro, a maneira como levam o cotidiano e tire suas próprias conclusões.

Alguns leitores podem se perguntar se estou ensinando e estimulando que as pessoas gastem de forma desordenada. Nunca, jamais! O problema é ter como princípio de vida o "juntar de grão em grão", esperando que a felicidade venha em um futuro distante. Isso pode acarretar problemas muito sérios. Nem me refiro às questões decorrentes da obsessão por poupar e, consequentemente, da suposta satisfação que a pessoa obtém quando se habitua a contemplar números que, muito lenta e gradualmente, se tornam mais altos. O fato, a realidade é que se você agir sempre dessa maneira, com o objetivo de ver o seu dinheiro aumentar "aos poucos", nunca acessará a riqueza.

Esse costume de tentar impor às pessoas, até mesmo por meio de "conselhos", o hábito de poupar e de acumular, tem raízes naquilo que a crença popular chama de estabilidade, de segurança, de tranquilidade para o futuro. Aquela certeza de que, agindo assim, a pessoa alcançará uma velhice tranquila. Significaria, então, que o momento certo de viver é quando se alcança aquela faixa etária denominada Terceira Idade? E se você, por um motivo ou por outro, não conseguir chegar até lá? Ou, se ao alcançá-la, não tiver mais condições físicas e psicológicas para usufruir daquilo que, por tanto tempo, guardou? Percebe como não faz sentido?

As atitudes decorrentes dessa prática, mania ou modo de vida acabam por inibir e impedir que a pessoa tenha a vontade de crescer, pois ela se torna desencorajada e desestimulada a desenvolver atitudes positivas que promovam resultados no presente. Quem permanece na mesmice do "grão em grão" nem sempre percebe as oportunidades que a vida oferece. Afirmo, com toda a convicção, que é muito ruim para você se acostumar e desenvolver, por toda a vida, atitudes bloqueadoras, baseadas única e exclusivamente no sinal de "mais".

Subtração ou sinal de "menos". Em oposição ao sinal do "mais", subtrair quer dizer retirar, consumir, gastar sem ter, de maneira irresponsável e desordenada. Posso afirmar com segurança que, mesmo parecendo símbolos opostos, o indivíduo que pensa em subtração é tão perigoso quanto aquele que se baseia na adição. Enquanto um abre mão de viver, de investir, de gerar riquezas a partir dos negócios que pode fazer e não faz, para obsessivamente guardar e buscar acumular, o outro, o que vive o sinal de "menos", abre mão de tudo igualmente. E vai mais além: consome sem necessidade, gasta o que não tem, além de induzir quem está próximo a ele. Ele vive a ilusão de que um limite maior no cartão de crédito é o melhor a ganhar. O consumidor, o que vive a vida no menos – ou cada vez menos – é perigoso para si e para quem o cerca. Vive pequenos momentos de prazer, contentamento e satisfação extrema, logo substituídos por longas e constantes preocupações, incertezas, dores e, consequentemente, dissabores.

Divisão. O que significa esse sinal? Não se trata de dividir no sentido de partilhar o "pouco que se tem", ou aquilo que sobra mensalmente em ações de solidariedade, frutos de seu bom coração, por generosidade e até pena de quem possui menos. Divisão tem um significado muito mais profundo, que impacta e atribula a rotina, o cotidiano de maneira permanente sobre a vida das pessoas. O sinal da divisão representa atitudes e comportamentos característicos de gente facciosa, que está sempre em contenda ou litígio. Está sob o jugo dos conflitos, da ameaça permanente contra si e contra quem está em oposição a ele. Esse é um modo perverso de viver, nada produtivo e com resultados imprevisíveis contra si e contra os outros. Investir, produzir, criar, nada disso faz parte do seu vocabulário, da maneira de ser e de agir. Sua energia prioriza promover e viver constantemente sob discórdias. Guerras, miséria generalizada, tragédias humanitárias e conflitos entre países têm a sua origem na divisão.

Mas como perceber que a pessoa – ou você mesmo – vive ou está próximo de viver com base no sinal da divisão? Observe a sua história. É na divisão que estão os divórcios, as brigas, os desentendimentos de toda sorte. Sabe o que é ainda mais triste nisso tudo? Aquele que vive muito tempo assim se acostuma à situação.

Multiplicação ou o x. Deus fez esse sinal com Abraão ao celebrar que ele seria o pai de multidões. Disse o Senhor que, se Abraão pudesse contar as estrelas do céu, assim seria sua descendência. Quando Deus firmou esse pacto com Abraão, nasceu dele uma nação, descendentes de seu neto Jacó, filho de Isaque. Ao observar o "x" dentro do símbolo do infinito (o número oito), você entende o significado e a importância de percorrer todo o circuito.

Mais que um "x", esse sinal tem o sentido de equilíbrio, de união, de aliança. Aliança consigo mesmo, que resulta em fortalecimento de laços com a família, com os amigos e parceiros de investimento.

É a certeza da representação dos compromissos cumpridos, a partir de bases sólidas e perenes, duradouras e confiáveis. Portanto, quem multiplica ingressa em um ciclo que não tem fim. Por que toda vez que um rico quebra ele volta a ser rico? Porque acessou a verdadeira riqueza e aprendeu a viver a multiplicação. Por que Jesus incomodava a tantos? Porque Ele promovia resultado! Ele multiplicava talentos! E o mais interessante é que Jesus multiplicava talentos até mesmo com Judas, que se tornou um traidor. Jesus nunca parou de multiplicar, infinitamente. Eu nunca vi uma pessoa que entende o que eu estou falando cair e não levantar. Não existe.

A partir do que você acabou de ler e compreender, imagine agora a si mesmo em um movimento intenso e constante dentro do "Oito", como o tráfego de dados em uma rede de fibra ótica. Continue esse movimento de maneira ininterrupta, percorrendo todo o símbolo do infinito. Não pare! Percorra o trajeto todo com insistência, veja se consegue acompanhar mentalmente o barulho que faz ao percorrer o circuito do símbolo às vezes mais rápido, outras mais devagar. É assim que você multiplica o talento, gera resultado. Transborda em pessoas e alcança o que quiser.

Anote o código

Quem multiplica talento gera resultado.

Após esta introdução, em que expliquei as fundamentações necessárias à sua compreensão, calcada em bases sólidas, firmes como rocha, lastreadas pela experiência, é hora de você descobrir quais são os "8 Caminhos da Riqueza". Os códigos foram lançados. Cada parágrafo, cada capítulo aqui escrito são importantes para que a sua leitura não se transforme, somente, em um passar de olhos sobre algumas páginas. Transforme este conhecimento em sabedoria e alcance a riqueza.

A riqueza já existe: ela está dentro de você.

1º Caminho da riqueza

aquisições, fusões e vendas

Comprar, unir e compartilhar são as três palavras que indicam a direção do primeiro entre os 8 Caminhos da Riqueza. Aquisição é o que você conhece como compra. Vender é compartilhar serviços, produtos ou negócios. Fusão é entrar em unidade com alguém, dependendo do nível de negócio que vocês estão fazendo. É o que as pessoas conhecem como sociedade, mas com um outro significado. Quer riqueza? Comece investindo energia nessas três coisas.

Algumas pessoas colocam à venda seus produtos ou serviços sem o devido retorno. Outras, o fazem por um valor muito baixo. Também há quem funcione como uma Organização Não Governamental, uma ONG, ou seja, prefere doar a obter lucro. Existe, ainda, muita gente que não reflete sobre o valor de tudo o que produz nem se interessa em aumentá-lo; simplesmente opera no piloto automático, por isso não multiplica nem enriquece. Caso você se encontre em uma dessas situações, precisa destravar a sua mente. O primeiro passo para o desbloqueio é compreender o verdadeiro significado de "compartilhar".

Anote o código

Compartilhar não é dar. Compartilhar é vender.

Vamos refletir juntos. O que faz um casamento fracassar? A resposta é: falta de retorno. Quando um cônjuge investe amor e não recebe esse mesmo sentimento de volta, a união tende a acabar. Isso acontece porque não existiu compartilhamento, apenas doação de uma das partes. E o que faz uma empresa falir? A resposta é igualmente óbvia: não vender. Uma empresa que não consegue compartilhar o que oferece não gera lucro, portanto não se sustenta no mercado. Não é raro fechar as portas e encerrar as suas atividades até mesmo antes de completar um, dois ou três anos de existência. Isso acontece tanto no mundo dos negócios quanto no mundo natural. Compartilhar significa multiplicar. Por isso, você precisa manter em mente que vender é compartilhar e não doar. Para uma empresa, multiplicar representa fazer o seu produto ou o seu serviço chegar a muitas pessoas e com frequência.

Existe um exemplo bíblico sobre a multiplicação bastante interessante. Ele aparece nos evangelhos de Mateus, Marcos, Lucas e João na forma de milagre. Jesus tinha se afastado da região onde havia forte influência do sanguinário Herodes e se dirigido para o deserto, pois ali era lugar de fácil esconderijo e de difícil acesso. Ele foi seguido por cinco mil pessoas, mas, justamente pela distância e pela localização, não havia comida. Para alimentar aquelas pessoas, Jesus pegou cinco pães e dois peixes que o apóstolo João havia conseguido, e multiplicou esses "produtos" de tal maneira que entregou comida para cada um de seus seguidores. Todos eles comeram até ficarem satisfeitos, e sobraram ainda doze cestos. Jesus não pensou em fazer uma divisão ao partir os pães, Ele multiplicou. Distribuiu os pães e os peixes e não se contentou até que todos estivessem realmente saciados. O que você faz para compartilhar mais? O que precisa fazer para multiplicar em lugar de dividir?

Na minha casa, eu não ensino meus filhos a dividir, mas sim a multiplicar. Tem aqueles casos que um amigo chega e pede para brincar com o mesmo brinquedo que está com o meu filho. Primeiro eu pergunto: "Filho, você ainda está brincando? Pode deixar seu amigo brincar?". Se ele diz não, eu respondo para o amigo, também fazendo uma pergunta: "Espere ele terminar de brincar, tá bom?".

Eu não digo para o meu filho: "Pare agora mesmo de brincar e entregue o brinquedo para o seu amigo". Não se trata de objetos, mas sim de ensinar sobre governo, especialmente das emoções. Há coisas que são personalíssimas, ou seja, que são suas e falam sobre sua imagem (a forma como nos vemos).

É sobre ensinar a se colocar em primeiro lugar. Dar para o outro aquilo que não é abundante em você não é compartilhar.

Muitos adultos, no entanto, costumam ensinar aos filhos que devem fazer uma doação. Inúmeros pais dizem às suas crianças: "Vai lá, deixa seu amigo brincar, divide com ele...". O pequeno, então, aprende que dividir é o certo e que compartilhar é o errado. Entendeu como o bloqueio acontece? Muita gente se encontra travada hoje em dia porque acredita que vender, ter lucro, ficar rico é errado.

Também há quem não assuma a responsabilidade de cuidar daquilo que lhe foi dado. Quando uma pessoa diz para a outra "Me dá o seu pão, porque o meu caiu no chão", sabe o que isso significa? Ela não teve cuidado, não teve autogoverno sobre seu pão. Ela não se preocupou em multiplicar e quer o pão do outro de graça. Talvez, você esteja pensando: "Nossa, Pablo, você é um homem duro".

Não se trata, de forma alguma, de falta de generosidade, e sim de transmitir a você um ensinamento poderoso sobre a importância de governar, especialmente governar a si mesmo. Receber instrução só parece duro ou difícil para aqueles que são tolos. Os sábios amam a instrução e o aprendizado, por isso se tornam gratos pelo que aprendem. A Bíblia fala a esse respeito no seguinte versículo: "Nenhuma disciplina parece ser motivo de alegria no momento, mas sim de tristeza. Mais tarde, porém, produz fruto de justiça e paz para aqueles que por ela foram exercitados" (Hebreus 12:11).

Anote o código

O tolo nunca gosta de aprender.

Sabe o que mais é necessário para compartilhar e multiplicar? Gerar valor! Muitos, entre aqueles que vendem produtos ou serviços, ainda se esquecem de que o produto não é compartilhado em uma venda, mas sim o benefício. Você não vende um produto, serviço ou acesso, e sim um benefício e a emoção que esse benefício vai gerar. Isso é gerar valor. Qual é a vantagem adicional que o seu produto oferece para o cliente? O que ele vai levar em troca junto com o seu serviço? Esse ponto é importante, porque os consumidores não estão atrás, somente, do aspecto físico, material ou objetivo daquilo que adquirem. Eles desejam ter a certeza de sair beneficiados em uma relação de compra e venda. Querem aprender com aqueles com que se identificam, com quem faz melhor e conhece mais a respeito de determinado assunto. Almejam usufruir da experiência que nem todo mundo possui, apenas você, e por isso você foi escolhido. Portanto, para atrair clientes e ser bem pago pelos seus serviços, você precisa divulgar a sua experiência, deixar clara a sua trajetória. Quando você produz, soma histórias e experiências e adquire traquejo, algo fabuloso acontece. Você se transforma em uma referência!

Anote o código

Pare de ser improdutivo e comece a produzir sem parar. O improdutivo não acessa a riqueza.

Existe, ainda, outro fator fundamental para conseguir vender: a eficiência. A eficiência se traduz em produtividade, que por sua vez se transforma em resultado. Sabe por quê? Porque a eficiência gera valor. E o que tem valor custa mais caro. Portanto, para ser bem pago, seja pelo seu serviço ou pelo seu produto, você deve somar experiência, eficiência e valor. Pare de jogar o jogo do preço e procure ser bem pago em tudo o que fizer. Eu quero ser muito bem pago por tudo o que faço e ofereço. Eu descobri algo extremamente importante e que você precisa saber: não existe nada caro nem existe preço alto, o que existe é gente barata demais.

Sabe o que acontece com quem não valoriza a própria experiência? Viverá dependendo da aprovação do cliente e nunca será bem pago. As pessoas não vão ter dó de você nunca, fique tranquilo quanto a isso. O cliente quer saber de pagar barato. Ele não se valoriza, quer desvalorizar quem tem valor, mas isso acontece apenas na percepção dele e não na realidade. Tempo, qualidade e custo são princípios.

Anote o código

Quem não gera valor não manda no preço.

Agora, pense nas atitudes de seu cliente. Tudo o que interessa a ele é o quanto vai pagar? Quem quer gastar menos abre mão de qualidade, de eficiência e de várias outras coisas importantes.

Eu não ajo assim nem aconselho que você o faça. Se eu necessito de produtos ou de serviços e eles atendem aos quesitos mínimos do que eu preciso – prazo, qualidade e custo –, eu compro ou contrato sem pestanejar. Vou dar um exemplo pessoal. Há algum tempo, eu decidi construir uma nova casa para mim e minha família. Sou sócio de uma empresa muito boa na área de construção civil. Assim, eu pedi um projeto detalhado sobre os custos e os serviços necessários para a construção do imóvel. Ao mesmo tempo, solicitei outras propostas no mercado, para fins de comparação. A empresa da qual eu sou sócio apresentou um orçamento incrivelmente em conta, bem mais barato do que o da concorrência. Após análises e conversas, descobri que o custo era de fato muito bom, mas existia um elemento complicador: seria impossível entregar a obra no tempo que eu desejava. O que eu fiz? Decidi construir a minha casa com uma empresa concorrente, aquela que cobrava mais caro, mas que conseguiria cumprir o prazo que eu desejava. Mesmo sendo sócio da empresa que apresentou melhor custo, eu preferi pagar mais caro. Quando eu percebi que a economia poderia afetar o meu tempo, resolvi que o preço não era caro, pois o prazo era um valor importante para mim, para minha esposa e para meus filhos. É preciso se questionar: o que você faz para gerar valor? O que oferece para que as pessoas paguem mais pelos seus produtos ou serviços?

Anote o código

O dinheiro não governa, o valor, sim. Nunca conte o preço antes de mostrar o seu valor.

Agora que você entendeu que para acessar a riqueza é preciso vender, vou destravar a sua mente em relação à aquisição. Aquisição é o momento da compra, quando você adquire o produto ou estabelece o serviço ou acesso que irá vender. O que vou falar aqui fica mais claro quando se refere à venda de produtos, mas você pode aplicar a serviços e acesso também.

Você acha que faz dinheiro no momento da venda? Pegue o código: *você ganha é no momento da compra.* Negocie com seus fornecedores para comprar com o melhor preço que conseguir. Quem tem dinheiro em mãos pode comprar com um bom desconto. Se você sabe que se garante nas vendas, canalize sua energia para fazer uma boa compra.

Outro código de compra é: *meu dinheiro vale mais na minha mão do que na mão dos outros.* Negocie para conseguir melhores condições. A empresa que sabe comprar já ganhou dinheiro. O problema do empresariado brasileiro é achar que ganha dinheiro quando vende, e venda não é ganho, é retorno do capital para o fluxo de caixa. Anote: *venda é retorno do capital para fluxo de caixa, não é ganho.* Quem compra do jeito que eu expliquei, ou seja, se já obteve lucro na compra, não deve se preocupar.

Anote o código

O verdadeiro ganho está na compra e não na venda.

Para ativar o primeiro caminho da riqueza, você também precisa criar fusão. Fusão é unidade. É se unir a alguém que possua aquilo que você não tem. Aquela energia da qual você carece para conseguir compartilhar e multiplicar e alcançar a riqueza. Para isso, é preciso que o outro some algo de novo, de importante, de fundamental para o seu sucesso. Eu o aconselho a jamais buscar um sócio somente por causa de mão de obra, ou seja, só porque você precisa de mais duas mãos. É preferível contratar um bom funcionário a ficar sócio de alguém somente por sua força de trabalho. A fusão a que me refiro é muito maior do que ter alguém para pegar no pesado. É aquele ingrediente do qual você não dispõe para fazer o seu negócio explodir e que está em posse de outra pessoa. Pode ser uma tecnologia, um método, um algoritmo, enfim, qualquer coisa que realmente faça a diferença. E esse alguém precisa estar disposto a entregar isso a você, em parceria, como um dote pela união. Isso é fusão. A explosão obtida pelo encontro ideal pode ser muito mais importante do que o dinheiro em si. Se o seu problema for falta de capital, é melhor pedir um empréstimo que procurar um sócio. É melhor devolver o dinheiro posteriormente do que ficar preso a quem não o ajudará a exponenciar pelos motivos certos.

Neste ponto, eu espero que você já tenha compreendido que aquisições, fusões e vendas são fundamentais para governar no primeiro caminho da riqueza. "Ai, Pablo, mas eu tenho medo de vender". "Ai, Pablo, mas eu não sei colocar preço...". São tantos os "ais" que não há remédio no mundo para curar todos eles. Pare agora mesmo com esses "ais" e arregace as mangas! Você precisa superar esse tipo de bloqueio para destravar este caminho de uma vez por todas.

Não sabe vender? Venda alguma coisa que ajude a vida de alguém! Ofereça um produto, um serviço ou um acesso que represente, verdadeiramente, uma solução ou uma transformação para o outro. Eu não conheço nada melhor do que compartilhar transformação.

Algumas pessoas me perguntam se o segredo está em fazer o que se gosta. A verdade é que, na maioria das vezes, não começamos a nossa trajetória fazendo exatamente aquilo de que gostamos. Sabe por que muita gente não dá certo e acaba quebrando? Justamente porque começa fazendo o que gosta e não o que dá experiência. Se você não soma experiências nem fracassos, não aprende lições importantes. Não adquire experiência. Não conquista a eficiência necessária para superar a concorrência, porque foi com muita sede ao pote sem estar preparado. Qual é a grande sacada? A sua experiência, a sua história, a geração de valor que você vai construindo na vida estão intimamente ligadas àquilo que você gosta de fazer. Só que, quando começamos, fazemos o que precisa ser feito, mesmo não gostando.

Nunca se esqueça de que o tripé da eficiência é tempo, qualidade e custo. Tempo é a criação de história. Qualidade é o resultado da experiência. Custo é o quanto você planta de sementes. Aprenda a desfrutar enquanto aprende. Em tudo o que você for fazer, foque o aprendizado. Tenha paciência. Persista.

Anote o código

Faça o que você não quer para realizar aquilo que a sua alma deseja.

Faça o
que você não
quer para
realizar aquilo
que a sua
alma deseja.

2

2º Caminho da riqueza

conhecimento, sabedoria e instrução

O saber é resultado do acúmulo de estudo e de conhecimento. Ao ler este livro, deduzo que você esteja em busca de aprendizado, o que é muito louvável. Agora, e se eu disser que você pode ler todos os livros da Biblioteca do Congresso Americano, que possui 155 milhões de exemplares em mais de quatrocentos diferentes idiomas, e ainda assim jamais conquistar a sabedoria? Existem homens que são eruditos porque possuem excesso de conhecimento, mas passam longe de ser realmente sábios, porque não usam todo esse saber como deveriam. Eles são meros acumuladores, obesos cerebrais. Gente que sabe muito, mas pratica pouco. Estão sobrecarregados, ansiosos e paralisados. Para trilhar o segundo caminho da riqueza e governá-lo verdadeiramente, você deve praticar o aprendizado. Só quem aplica o conhecimento domina verdadeiramente a riqueza. Faça agora mesmo esse desbloqueio: transforme as palavras dos livros em ação, pois toda informação acumulada em seu cérebro se torna absolutamente inútil se não for colocada em prática.

Anote o código

Conhecimento é estudar um livro. Sabedoria é praticar o conhecimento. Instrução é transbordar a sabedoria.

Eu conheço quem tenha feito diversos cursos, até mais de uma faculdade, mas continua preso à pobreza, inclusive àquela de espírito. A razão é simples: conhecimento não é sinônimo de liberdade nem de riqueza. Você precisa executar o saber todos os dias se não quiser ser escravo das circunstâncias. Quem não põe em prática o que aprende não prospera, empaca. Para ativar este caminho da riqueza e governá-lo, é necessário unir conhecimento, sabedoria e, também, instrução. Instruir é o que faz você transbordar. É um movimento de expansão. Imagine que você tenha uma lâmpada, um interruptor e energia elétrica. A lâmpada é o conhecimento. O interruptor, a sabedoria. A energia, por sua vez, é a instrução. Sabe o que acontece se possuir cada um desses elementos, mas não os conectar? Você vai continuar no escuro e as outras pessoas não poderão enxergar a sua verdade. A lâmpada só ilumina o ambiente porque transforma a energia elétrica em energia térmica e luminosa. Ela possui um pequeno filamento de tungstênio em seu interior que, ao ser percorrido por uma corrente elétrica, se aquece e se torna incandescente, emitindo luz. Ou seja, o brilho da lâmpada transborda para além de si mesma. Para ativar a riqueza, você precisa acender a sua lâmpada!

Anote o código

Se você não pratica o conhecimento, fica no escuro. Se você vive a palavra e a transborda do jeito certo, domina a luz.

Conhecimento e sabedoria são fundamentais para prosperar. A Bíblia fala sobre esse assunto no Livro de Daniel. O profeta, que viveu seis ou sete séculos antes do nascimento de Jesus, havia sido levado pelos caldeus para a Babilônia, onde obteve do próprio Deus visões e revelações a respeito do futuro. Sabe qual foi a principal mensagem recebida por Daniel? Deus disse que todos aqueles que tivessem conhecimento, desenvolvessem sabedoria e instruíssem outras pessoas no caminho da verdade iriam brilhar tanto quanto o próprio Sol.

> "Os que têm o entendimento e são sábios resplandecerão com o fulgor do firmamento; e todos quantos se dedicam a conduzir muitas pessoas à verdade e à prática da justiça, serão como as estrelas: brilharão para sempre, por toda a eternidade!" (Daniel 12:3)

Você percebe agora como conhecimento, sabedoria e instrução são importantes e se complementam? Isso é tão verdadeiro nos dias atuais quanto nos tempos de Daniel. Por mais simples que seja esse conceito, muitos ainda não conseguiram destravar este caminho. Mesmo quando Jesus em pessoa caminhava sobre a Terra e transmitia conhecimento, muitos de Seus seguidores não praticavam Suas instruções. Faltava a eles sabedoria. Eu pergunto: Judas Iscariotes, por exemplo, um dos doze apóstolos de Jesus Cristo, mudou seu comportamento ao ouvir os ensinamentos do Filho de Deus? Não! Por quê? Porque não quis aplicar o que ouviu de Jesus. Ele preferiu ser o traidor que O entregou aos Seus captores por trinta moedas de prata e depois, em desespero, enforcou-se.

O apóstolo Pedro foi outro que ouvia e ouvia, mas pouco praticava. A Bíblia revela que Pedro, por ocasião da crucificação, negou Jesus três vezes antes do cantar do galo. Ao negar Jesus, Pedro estava sendo sábio? Não! Ele conhecia a verdade, mas não praticou o que sabia. Somente quando Pedro decidiu aplicar e transbordar o que aprendeu com Jesus ele se transformou em um grande apóstolo.

Anote o código

O ouvir gera fé. Fé sem inclinação e ação não gera resultado.

Qual é a diferença entre quem não tem conhecimento algum daqueles que o possuem, mas não o praticam? Nenhuma! Quem apenas detém informação, mas não age conforme o seu saber, não governa. Essa pessoa acaba controlada pela ansiedade, pelo vitimismo, pelo desânimo. Conhecimento sem ação não serve para nada, é apenas obesidade cerebral.

A admiração pelo conhecimento também é um tipo de idolatria. É por isso que os idólatras não prosperam. Pare de admirar e idolatrar as pessoas. Admiração e idolatria são vales de distância que você coloca entre si e a outra pessoa. Pare inclusive de idolatrar Jesus, pois quem idolatra nunca vai ser amigo. Idólatras não prosperam porque não agem, ficam apenas dizendo que o conhecimento mudou sua vida. É mentira! Eu nunca vi ninguém ser transformado somente admirando algo. Respeite quem veio antes de você, honre seus pais, tenha temor a Deus e esqueça a admiração. Quem idolatra o dinheiro, mas não o administra, vira escravo dele, e isso não é prosperidade!

Conhecimento não funciona sozinho. Ouvir a palestra de um sábio também não funciona se você sair de lá e não fizer nada. Os apóstolos eram excelentes ouvintes. Eles se sentavam à mesa de Jesus e escutavam atentamente a tudo o que Ele dizia, mas não mudavam o próprio comportamento. Eles se nutriam de fé, mas ela, sozinha, não proporciona resultados. A fé dá energia, é um potencializador. A Bíblia diz que, se você se encher de fé, mas não fizer nenhuma obra, a sua fé estará morta. Não existe nenhum versículo da Bíblia que diga assim: "Tenha fé e fique parado". A fé é o combustível que enche o tanque do seu carro, mas, se você não se sentar ao volante, der a partida e pisar no acelerador, não vai sair do lugar. Isso é o que significa a fé estar morta.

Anote o código

A fé é irmã gêmea siamesa da ação. Se uma não funciona, a outra morre.

Ação é persistência. Muita gente acredita que basta praticar o conhecimento por cinco minutos a fim de governar o caminho da riqueza. Isso é um engano. Quanto tempo você acha que um atleta passou dentro da piscina até ficar apto a ganhar a medalha de ouro? Um dia? Dois dias? Eu tenho certeza de que todo campeão treina, repete, erra, corrige e insiste por muitos meses e anos. Quando você pratica o conhecimento, pode ser que ele não funcione na primeira, na segunda ou até mesmo na milésima vez, mas eu asseguro: se você persistir, vai dar certo!

Eu nunca vi sementes guardadas no bolso darem retorno. Pelo contrário, quanto mais tempo permanecem guardadas, menores são as chances de que venham a germinar. A semente precisa de uma ação para prosperar (crescer); precisa ser plantada. Assim, sua semente germina, e você, então, colhe. Uma semente parada fica seca e apodrece. Quando você adquirir conhecimento, pratique-o e passe-o adiante. O nome disso é transbordar. Aplique o que você aprendeu! Não seja um acumulador cerebral.

Anote o código

O conhecimento vira fardo quando não dá resultado.

A instrução é o terceiro elemento fundamental do segundo caminho da riqueza. Pessoas sábias instruem. Elas transbordam. Ao fazer isso, elas se tornam imprescindíveis, essenciais, até mesmo disputadas. A riqueza chega até elas de maneira assustadora. Quem detém o conhecimento para si mesmo não prospera, mas aquele que transborda enriquece. No mesmo capítulo 12 do Livro de Daniel, o profeta comunica que a busca pelo conhecimento se tornará cada vez mais frenética no fim dos tempos:

> "[...] Muitos farão de tudo e correrão de uma parte a outra em busca do maior saber; e o conhecimento se multiplicará muitas e muitas vezes!" (Daniel 12:4)

Você pode escolher ser aquele que sai correndo atrás de mais conhecimento, ou pode ser aquele que instrui, que é disputado a peso de ouro. "Mas, Pablo, eu não fui chamado por Deus para instruir, não recebi o dom", você pode estar pensando. Como assim? Se você foi chamado a ser pai ou a ser mãe, você foi chamado a dar instrução. Se você tem um irmão, igualmente. Se trabalha em uma empresa e se tem colegas que precisam de sua orientação, você foi chamado a instruir! Além disso, todos os seus movimentos e todas as suas ações são instruções para quem sabe menos! Tudo aquilo que você ensina a alguém o transforma em um professor. "Ah, Pablo, mas eu não tenho o dom de falar." Será mesmo? Quer dizer que, aos sete anos de idade, você ainda não falava nada? Uma vez que 90% das conexões cerebrais são estabelecidas até os seis anos de idade, se você fosse incapaz de falar aos sete, não deveria falar até hoje. O problema são as suas desculpas! A única coisa que de fato faz diferença na hora de instruir é a sua verdade. Ao longo de minha vida e do meu amadurecimento como ser humano, deixei de ensinar várias coisas. Eu parei de ensinar justamente aquilo que deixei de praticar porque não fazia mais sentido. E se não fazia mais sentido para mim, por que deveria fazer para outras pessoas? Você deve instruir somente de acordo com a sua verdade.

Anote o código

Não ensine para os outros aquilo que você não faz.

Uma pessoa que viveu múltiplas histórias tem muito a ensinar. História é sinônimo de experiência. Quem fica parado não cria histórias, não gera experiência. Eu costumo dizer que não adianta você prosperar em algo sem, antes, aumentar a sua quilometragem. Alguns me respondem: "Pablo, eu sou bom de viagem!". Mas quantos quilômetros você já rodou? Você voaria em um avião cujo piloto leu todo o manual de instruções de um Boeing, porém não tem experiência? A experiência só se consolida quando você leva o seu conhecimento para passear o tempo todo. Você só pode realmente dizer se a Terra é grande ou pequena depois de percorrer todos os 40.075 quilômetros de sua circunferência, pela Linha do Equador. Mas a Terra é tão grande assim? Ela é maior do que Vênus, Marte, Mercúrio e Plutão, mas é menor do que Júpiter, Urano, Netuno e Saturno. O tamanho da sua experiência é você quem determina. Experiência tem um valor incalculável. Quanto mais experiências tiver, mais você se aproximará da sabedoria.

"Pablo, mas eu quero fazer tudo perfeito." Esta é outra frase que eu costumo ouvir durante as minhas palestras. Eu digo a você: feito é melhor que perfeito! Essa afirmação me lembra da frase do general norte-americano George Patton, durante a Segunda Guerra Mundial: "Um bom plano executado rigorosamente agora é melhor do que um plano perfeito executado na próxima semana". O projeto perfeito é aquele que só existe no mundo ideal. No mundo real, não existe projeto perfeito, e sim aperfeiçoamento. "E se eu não for inteligente o suficiente para trilhar este caminho da riqueza?" Se você é filho de Deus, você é inteligente. Mas é importante que saiba que a sabedoria vai muito além da inteligência exercida na esfera da mente. Sabedoria é a inteligência experimentada, prática, também na esfera do espírito. O autor de Provérbios encerra em poucas palavras o seu valor:

> "Como é feliz o homem que acha a sabedoria, o homem que obtém entendimento, pois a sabedoria é mais proveitosa do que a prata e rende mais do que o ouro [...] a sabedoria é a árvore que dá vida a quem a abraça; quem a ela se apegar será abençoado" (Provérbios 3:13,18).

Anote o código

A verdadeira sabedoria provém do alto.

Conhecimento é estudar um livro. Sabedoria é praticar o conhecimento. Instrução é transbordar a sabedoria.

3

3º Caminho da riqueza

networking

Oitenta e cinco por cento dos resultados que você ainda não carrega estão escondidos em relacionamentos que você ainda não estabeleceu. Se você não é bom de relacionamento, está deixando de alcançar grandes resultados, porque não conhece o poder do networking. Essa palavra significa "rede de trabalho" e isso já mostra a sua importância. Esses resultados que você ainda não descobriu estão guardados em alguém. Cada pessoa tem uma peça que, quando você pega, começa a se juntar com aquelas que você já possui e assim gera novos cenários. E quando você toma para si uma peça da pessoa, e ela uma das suas, não há perda, pois cada uma tem dessas peças em abundância. Conhecer pessoas e compartilhar com elas conhecimentos e experiências é uma das poucas coisas da vida em que você doa algo e se torna ainda mais rico. Você nunca perde, só ganha.

Anote o código

85% dos seus resultados dependem de suas conexões humanas.

Os outros 15% são alcançados por meio de habilidades e instrução. Se até hoje você não descobriu a riqueza, provavelmente é por causa da sua falta de conexões e não por falta de capacidade ou talento. Enquanto você não aprender a importância de estabelecer e manter uma boa rede de contatos, permanecerá preso e isolado dentro da bolha da pobreza. Ao estourar a bolha que o aprisiona em seu mundo, acessar outras pessoas e o que elas podem oferecer, vai descobrir novas realidades. Isso é assustador! Você vai gritar bem alto: "Uau! Como eu vivi até agora sem descobrir esse caminho da riqueza?". Esse contato com mundos ainda inexplorados amplia a frequência de suas ondas cerebrais de maneira tão incrivelmente positiva que você nunca mais será o mesmo. Você vai se tornar um desbravador, e o impacto de suas descobertas não o deixará voltar ao estágio anterior. Por isso, vá com calma para não pirar.

Anote o código

Networking vale mais do que dinheiro!

Algumas pessoas justificam o fato de não buscar novos relacionamentos pelo fato de serem tímidas ou introvertidas. Networking, no entanto, não possui relação com badalação, tampouco com se tornar famoso, embora muitas vezes esta seja uma consequência. Cultivar boas conexões significa ampliar o seu acesso a uma rede consistente de pessoas que compartilham dos mesmos princípios e valores, que trocam informações e conhecimentos entre si, em um sistema de cooperação e de afinidades. É a maneira mais eficiente de aumentar as suas oportunidades em relação a projetos, negócios e parcerias que geram novas oportunidades de negócios para servir a pessoas. Talvez, neste momento, você queira me perguntar: "Mas, Pablo, como faço isso se eu não sei nem como começar?". Gerando valor, criando histórias e investindo naquilo que Deus mais ama: as pessoas.

Anote o código
Construa seu networking gerando valor.

Gerar valor significa investir o seu tempo, o seu talento, a sua atenção e às vezes um pouco de dinheiro para criar reciprocidade. Você vai dar destaque aos seus pontos positivos e colocá-los à disposição de outros, sem que precise se expor em uma vitrine, simplesmente esperando que as coisas aconteçam. Digamos que um primo de um amigo precisa fazer uma mudança e você se oferece para transportar gratuitamente alguns móveis. Assim ele descobre que você, além de prestativo, também é muito cuidadoso com a organização de peças de vidro, por exemplo. Pronto, você gerou valor para o outro e um patrimônio valioso para si mesmo: a confiança. Pode ser que, depois disso, o sujeito passe a indicar os seus serviços para os vizinhos, ou o convide para abrir uma transportadora. Percebe como funciona a reciprocidade a partir de pequenas atitudes que você toma? Em outras palavras, a energia que despende ao desenvolver novos relacionamentos no presente retorna para você na mesma medida, ou ainda maior, no futuro. Se você investir em estratégias que compartilhem os seus pontos fortes, vai criar uma ferramenta poderosa para servir a pessoas e gerar riqueza.

Anote o código
Networking é sobre transbordar amor.

Um dos passos para explodir no networking é se sentir amado por Deus, amar a si e não segurar esse amor. É sobre construir pontes entre pessoas. Networking não significa agir de forma interesseira, mas criar uma conexão fluida, de modo que o seu valor vá e volte com a mesma leveza. Você transborda e tem acesso a pessoas, lugares, empresas ou a tudo aquilo que possa fazer diferença em sua vida, na mesma medida em que você fez diferença na vida de alguém. Para funcionar, no entanto, você não deve ajudar alguém esperando receber algo em troca, ou será ajudado por quem espera algo em troca também, às vezes por um valor menor. O nome disso é barganha. Você não vai querer ser lembrado como um oportunista, e sim como alguém que sabe identificar as boas oportunidades e tem o bom senso necessário para aproveitá-las.

Quando você estiver ajudando alguém e seu cérebro disser "Essa pessoa não te dará nada em troca", lembre-se do símbolo do infinito, que é o Oito Deitado. O mundo dá voltas e quem faz pelo outro para receber algo em troca vai receber a mesma energia. Você colhe o que é da mesma natureza daquilo que plantou. Se agir por interesse, as pessoas só o ajudarão se receberem algo em troca.

Quem serve sem esperar pelo retorno aciona a reciprocidade. Talvez, a pessoa que você ajudar não dê a você um retorno direto, mas a generosidade de sua ação produzirá efeito. Ela vai falar de você para outras pessoas e essa energia acabará voltando em algum momento. Quando plantamos na vida do outro, a colheita nunca tem fim. Quem dá algo para alguém empresta a Deus.

Se você me perguntar se eu gerei riqueza por meio do networking, a minha resposta é: sim. Mas, de cada cem pessoas com quem eu criei conexões, 90% delas não me renderam qualquer retorno do ponto de vista material, financeiro ou de acesso a novos negócios ou situações. Contudo, eu recebi de volta 100% do meu investimento na forma de experiência, aprendizado e muitas histórias de vida. Eu gerei valor a quem Deus ama acima de tudo, pessoas, e Ele me devolveu a Sabedoria. Ao iniciar o seu networking, portanto, pense em transbordar e gerar valor para pessoas com quem você possa aprender e crescer nos mais variados sentidos. Eventualmente, você vai encontrar alguém com quem possa multiplicar. É esse tipo de networking que gera a verdadeira riqueza.

Anote o código

O networking que vale a pena flui na ida e na volta.

No caso de chegar até aqui e ainda não ter entendido a relação entre riqueza e networking, feche os seus olhos agora. Imagine que está preso em um aquário de vidro dentro do oceano. Você é um peixe até bem bacana. Vive ali nadando de um lado para o outro, sempre passando pelas mesmas pedras coloridas artificialmente e folhagens de plástico. Dentro da segurança de seu aquário você até enxerga o movimento dos tubarões imponentes que nadam ali por perto. Quem sabe até admire algumas baleias jubartes e os cardumes de salmão com suas escamas brilhantes. O problema é que você não consegue nadar junto deles. Está preso naquelas paredes de vidro transparente e elas o impedem de desbravar os sete mares ou de pegar carona nas correntes marítimas que levam as tartarugas marinhas para onde elas quiserem. Se você não fizer nada a esse respeito, vai passar o resto de seus dias sendo alimentado pela ração que cai de vez em quando dentro do seu aquário e você corre para comer, desesperado. Agora, imagine que você decidiu ser tão poderoso quanto um tubarão. Você começa a bater no vidro até que consegue trincá-lo. Com mais um pouco de esforço, finalmente rompe a barreira que existia entre você e todas as riquezas que o Criador colocou ao seu dispor. Pronto! Você está livre para bater as suas nadadeiras por todos os cinco oceanos do planeta, povoados por centenas de milhares de outros peixes dispostos a ajudá-lo a encontrar tesouros dentro das grutas e das cavernas subterrâneas. Basta você ter a coragem de entrar nelas.

Quando está em um trabalho que o faz conviver com as mesmas pessoas diariamente, das 9h às 17h, se não circula por novos ambientes, pelo menos uma vez na semana, você é somente um peixinho dourado dentro de um aquário esquecido no meio do oceano. Seu único sonho é morder a minhoca presa a um anzol, cuja finalidade é mantê-lo fisgado a uma realidade única e limitante. Ao deixar de investir em sua rede de contatos, você desperdiça as suas chances de encontrar a riqueza! Isso me deixa realmente revoltado, pois o mundo está repleto de Nemos que poderiam ser tubarões.

Anote o código

Quando você se recusa a fazer networking, está fadado a passar o resto de sua vida torcendo para que alguém se lembre de jogar uma pitada de ração dentro do seu aquário.

Mas antes de começar a aplicar este que é um dos caminhos mais eficazes da riqueza, eu preciso fazer um alerta: networking é viciante! Para te dar uma noção do perigo, eu poderia dizer que networking vicia muito mais que cocaína e açúcar! Uma vez que você começa, se não colocar sua família, seus princípios e valores em primeiro lugar, poderá ficar obcecado e perder a noção da realidade.

Quando digo que networking é um perigo, eu não estou exagerando, há motivos sérios para isso. Muitas pessoas acham que vão conseguir se conectar com todas as pessoas do mundo, só que não é bem assim. Nós só conseguimos ter certo número de amigos ao mesmo tempo. Networking é diferente de amizade, mas o cérebro não consegue administrar tantos compromissos e energia com tantas pessoas. Tem gente que passa a querer parar de trabalhar porque o trabalho tem gerado menos retorno do que o networking.

Ao experimentar os primeiros resultados, você fica tomado por uma enorme euforia. Assim que se percebe livre das fronteiras limitantes do seu antigo aquário, é invadido pelo desejo de se conectar com todos os peixes dando sopa no oceano. Isso até faz muito sentido. Afinal, depois de tanto tempo fechado em sua zona de conforto, você possivelmente tem energia represada para nadar e explorar todas as águas. Por que não? Nade com tudo! Ao adquirir mais experiência e entender o seu verdadeiro propósito de vida, no entanto, você pode e deve se tornar mais seletivo. Não fará mais sentido criar conexão com quem não emana a mesma energia que você ou que se mostra interessado somente em ser beneficiado. Isso é falta de fluidez. Por outro lado, desenvolver relacionamentos baseados em networking é bastante diferente de fazer amizades. A amizade verdadeira é construída com confiança e ela necessita de tempo para crescer. O ponto em comum entre uma rede de contatos e uma rede de amigos é o tipo de plantio que você faz. Você semeia as suas sementes e, um dia, verá os frutos amadurecendo, mesmo que em alguns terrenos a colheita seja mais demorada. Já ouviu falar no bambu chinês? Depois que as sementes desse arbusto são enterradas, não se vê nada saindo da terra por aproximadamente cinco longos anos. Isso mesmo. Durante metade de uma década, as sementes ficam ali, invisíveis. No máximo, um broto diminuto surge a partir do bulbo, enquanto todo o crescimento ocorre debaixo da terra, como se nada estivesse acontecendo. Ao final do quinto ano, no entanto, o bambu chinês começa a crescer do lado de fora até atingir inacreditáveis 25 metros de altura!

Quando você planta o seu networking, pode ser que esteja semeando bambu chinês. Vai achar que as sementes não estão germinando como deveriam, até que o seu bulbo explode de maneira assustadora, criando um enorme e verdejante bambuzal. É assim que os novos brotos aprofundam as suas raízes e surgem majestosamente tempos depois, criando um plantio tão valioso que nem em seus melhores sonhos você poderia imaginar.

Anote o código

Plante as suas sementes e aguarde o tempo certo da colheita.

Você precisa de consciência sobre o que é networking antes de querer sentar-se com os poderosos da Terra. No networking há níveis que você tem que seguir antes de alcançar o topo. O nível mais alto de networking que existe é o que eu chamo de donos de Plataforma ou de Ecossistema, pois são pessoas que podem te projetar de forma poderosa. Quem não tem consciência do networking não está nem no primeiro nível ainda. Quem descobre o valor das conexões entra no primeiro nível, só que não adianta querer se juntar aos caras do topo. Isso só acontece se for por caridade de quem está na outra ponta. Mas você pode construir o caminho para se conectar com quem você quiser.

Para iniciar qualquer conexão, a palavra-chave é confiança. Para explicar sobre isso, vou exemplificar algo. Antes de você se conectar com uma pessoa, há uma porta que tem a fechadura do lado de fora, mas não tem maçaneta. Do lado de dentro está a maçaneta, mas não tem fechadura. O networking é a chave que destranca todas as portas e não abre nenhuma. Quem abre a porta é a pessoa do outro lado quando se estabelece confiança. Quem deseja conectar é o responsável por inspirar a confiança, que é abrir a porta. Se o outro sentir confiança, decidirá abrir a porta. A base para abrir as portas do networking é a confiança.

Quando chega ao nível de Plataforma, você tem a chave para abrir qualquer porta. **Crescer em networking é construir confiança.**

Certo dia eu estava em Rio Verde, que é o quarto município mais populoso de Goiás. Eu tinha ido visitar um construtor. Ele me perguntou de supetão: "Pablo, por que você não anda de Land Rover?". Naquela época, eu tinha um Toyota. Aquela pergunta me pegou desprevenido. Eu já havia produzido riqueza, mas ainda tinha mentalidade de escassez. Sabe o que eu levava em conta na hora de comprar um carro? O valor do IPVA, o preço e o consumo de combustível, as despesas de manutenção. Argumentei a ele que não valia a pena gastar tanto dinheiro para ter um automóvel de luxo, se eu poderia economizar. Foi quando ele me deixou sem resposta: "Pablo, agora faz a conta dos negócios que você deixou de fazer porque não anda de Land Rover". Ele estava coberto de razão. Se o meu antigo Toyota era um carro de homem, uma Land Rover certamente era um carro de Super-Homem. Em outras palavras: eu sabia produzir riqueza, mas ainda era vítima da crença maligna e limitante de que eu não tinha o direito de desfrutá-la. Pior: eu ainda não enxergava o fato de que expressar a minha riqueza por meio de posicionamento poderia render.

Não estou dizendo que você deve parar agora mesmo de ler este livro, ir até uma concessionária de veículos importados e comprar um automóvel pelo qual não poderá pagar. Eu estou dizendo que, para criar relacionamento com quem o interessa, de acordo com os alvos que você estabeleceu mediante os seus propósitos, precisa adequar a sua marca pessoal. Faça isso levando em conta como anda o seu conteúdo e a sua imagem. Se você deseja ser um criador de cavalos, por exemplo, não faz sentido andar por aí vestido de surfista e não saber o vocabulário da equinocultura. Talvez você esteja pensando agora: "Mas eu não tenho dinheiro para criar a imagem que eu quero". Comece investindo o que você tem de melhor para fazer as primeiras conexões. Conforme for avançando, invista em sua imagem. Se você ainda não consegue valorizar isso, ande com novas pessoas para mudar a sua mente.

Anote o código

Você precisa mudar de mentalidade para acessar a riqueza.

E o que isso tem a ver com se tornar um mestre no networking? Tem a ver, entre outras coisas, com andar próximo às pessoas que de fato me desafiam a refletir. Eu gosto de andar perto de gente que se comporta de um modo diferente do meu, para que eu possa confrontar as minhas próprias crenças e descobrir se são realmente válidas para os meus propósitos.

Anote o código

Você não precisa de dinheiro para assumir a imagem que corresponde à sua identidade.

Dinheiro é somente um potencializador de caráter. Ninguém muda porque ficou rico. Nunca vi dinheiro gerar mudanças de comportamento. Ele apenas desperta o que já estava dentro de você. Não é necessário ter muito dinheiro para aprender novos assuntos. Livros não são tão caros assim. Você também não precisa de um acessório, como uma gravata ou um chapéu de caubói, para realizar alguma mudança em si mesmo. O que você precisa é mudar de atitude e agir de modo a criar no outro o desejo de conhecê-lo melhor. Vou listar aqui algumas das atitudes que qualquer pessoa, mesmo sem um centavo no bolso, pode fazer para melhorar o seu poder de gerar networking.

Anote os seguintes códigos:

Sorrir. O sorriso é a janela que você abre para o outro. É a forma de acesso inicial para despertar o interesse de quem você ainda não conhece. A falta de retribuição ao sorriso significa que o outro não deseja a sua aproximação. Contudo, é praticamente impossível resistir a um sorriso bonito e cativante. Cuide do seu sorriso.

Posicionar-se com confiança. A maneira como você se expõe ao ambiente faz diferença. Já observou um time de futebol? Todos os jogadores sabem qual a posição que devem ocupar para atingir os melhores resultados. Assuma uma posição compatível com os resultados que procura.

Fazer perguntas. Ao fazer perguntas, você demonstra interesse pelo outro. Mas lembre-se de que toda pergunta revela o seu nível de maturidade. Faça poucas perguntas, mas pertinentes. Não exagere. Ninguém gosta de ser interrogado.

Praticar a escuta ativa. Ouvir se refere aos sentidos da audição. Escutar, por outro lado, requer mais do que simplesmente ouvir: é necessário estar atento ao assunto, entender do que se trata, perceber o que foi dito, sentir as palavras, compreender e respeitar opiniões divergentes. A escuta ativa conquista o coração do outro porque você dá a ele a devida importância. Se você conseguiu a atenção de quem o interessa, não desperdice a oportunidade falando apenas sobre si mesmo. Escute!

Ser íntegro. Integridade vem do latim, *integritate*. Significa a qualidade de alguém de conduta reta, uma pessoa de honra e amante da ética. A integridade demonstra que você reflete antes de falar e diz somente o que pensa, com responsabilidade.

Não bajular. Você já reparou que nenhum ídolo gosta de manter amizade com seus fãs? Isso acontece porque, em geral, os fãs assumem uma postura descontrolada e bajuladora. Eles se rebaixam e transformam ídolos em deuses. Quando você dá importância exagerada para uma pessoa, está tirando a importância de si mesmo e do que tem a oferecer. Seja sincero nos elogios, busque o melhor no outro, mas não idolatre.

Ser sensual. O cérebro gosta de designs atrativos e sensuais. Isso nada tem a ver com beleza e sexualidade, e sim em provocar um bom impacto emocional. O neuromarketing, por exemplo, é o campo de estudo que une o marketing à neurociência. Em linhas gerais, prevê o comportamento do consumidor tendo como base o processamento das informações pelo cérebro. Portanto, lembre-se: se você não atrai o cérebro do outro, o repele. Simples assim.

Anote o código

Networking enche um oceano de oportunidades. Mas você precisa sair do aquário!

Networking enche um oceano de oportunidades. Mas você precisa sair do aquário!

4º Caminho da riqueza

empreender

Empreender é uma palavra que está na moda. Muitos falam sobre o assunto, em todos os lugares, veículos e idiomas. Agora mesmo você deve estar pensando: "Ora, Pablo, esse caminho não é novo. Você está me dizendo que o quarto caminho da riqueza é abrir uma empresa?". A resposta é não! Empreender não é necessariamente ter uma empresa ou ser dono de uma companhia. Você pode empreender no mundo dos negócios, mas ter uma empresa é apenas uma forma. Empreender é resolver problemas, construir uma estrutura para trazer crescimento e rendimento. Portanto, empreender não é o ato formal e burocrático de solicitar um CNPJ, de tornar-se sócio de uma companhia ou de adquirir uma franquia de marca famosa. Empreender é ter uma atitude vencedora! É ter disposição e determinação para construir bases sólidas que o permitam levantar estruturas. Quando você desenvolve uma mentalidade empreendedora, é capaz de transformar adversidades em oportunidades, inovar e aproveitar os seus recursos ao máximo, não importa como o cenário se apresente.

Anote o código

Empreender é a ação de fazer as coisas crescerem.

Empreender é saber buscar soluções em vez de focar os problemas. Agir, mesmo com medo. Assumir riscos, enxergar brechas, usar a imaginação para encontrar soluções criativas. Empreender é nunca olhar para trás. Talvez, você pense não possuir talento para ser um empreendedor. Será mesmo? Você é imagem e semelhança do Criador e Deus é o maior empreendedor que existe. A sua família, por exemplo, é um empreendimento. O seu casamento, outro. Criar filhos é empreender todos os dias. Cuidar de sua saúde e de seu bem-estar pessoal é um empreendimento indiscutível. Você só se mantém vivo porque empreende. A cada dia que você desperta, abre os olhos e se levanta da cama, começa a empreender. Você toma decisões sobre o que comer no seu café da manhã, que roupa vestir, quais ações realizar para fazer o seu dia terminar melhor do que iniciou. Quando você se apaixona, por exemplo, empreende todas as suas forças para conquistar o amor de outra pessoa. Você tenta fazer o seu melhor e transmitir a certeza de ser a opção ideal, mesmo que existam outros pretendentes. Como empreendedor, o seu principal objetivo é fazer com que cada área de sua vida prospere. Enquanto você está lendo este livro também está empreendendo, pois está pondo em ação um projeto positivo de crescimento. Portanto, empreender é o caminho natural para a riqueza. O problema é que você ainda não se deu conta de que deve percorrê-lo da maneira correta.

Embora eu seja dono de muitas empresas formais, afirmo a você que não possuo empreendimento mais valioso do que a minha família. Carol, a minha esposa, e meus três filhos são a minha maior riqueza. Ao dedicar tempo e energia para fazer a minha esposa e os nossos filhos felizes, cuido do maior empreendimento que existe na Terra. Por isso, costumo dizer que a minha casa é uma pequena indústria da felicidade. É nela que invisto recursos para que os resultados sejam alegria, satisfação e regozijo. O tempo que fico fora da minha casa é para levar os melhores recursos para minha família usufruir. Para isso é preciso que eu faça boas escolhas e tome decisões assertivas. Dia desses, por exemplo, precisei gastar tempo extra com o meu filho mais velho. Ele estava passando por um pequeno problema e precisava de minha atenção integral. Acabei chegando atrasado a um compromisso de negócios, mas eu não interpretei o tempo que passei ao lado dele como prejuízo. Sabe por quê? Porque eu estava empreendendo no bem-estar do meu filho, portanto, cuidando do meu maior empreendimento, aquele que é a base da minha riqueza: a minha família. Você percebe agora a diferença entre abrir um negócio e empreender? Quando você aprende a valorizar todas as necessidades, desejos e demandas de cada um dos seus entes queridos, incluindo a si mesmo, se torna tão bom em administrar problemas e soluções que fará crescer todas as outras áreas de sua vida. Você descobre como estabelecer prioridades, superar obstáculos, criar alternativas e ampliar sua experiência e criatividade.

Anote o código

Você será lembrado somente pelos problemas que criou e pelos problemas que resolveu.

Voltemos ao exemplo do casamento. O que há nele? Problemas! E nos filhos? Problemas! E numa empresa, em uma negociação ou em um comércio formal? Problemas, problemas e mais problemas! Não se assuste, isso não é ruim! Pelo contrário, circunstâncias e contratempos encarados são oportunidades valiosas de aprendizado e de crescimento. Sem que surjam os obstáculos, você não descobre como inovar e ser criativo. Você não prospera. Você fica parado como uma estátua de sal olhando para trás como a Mulher de Ló, que desobedeceu a Deus. Mike Murdock, autor de mais de 250 livros, incluindo *The Leadership Secrets of Jesus* (Os segredos da liderança de Jesus) e *Secrets of the Richest Man Who Ever Lived* (Segredos do homem mais rico que já viveu), fez a seguinte citação:

> Você só é lembrado por duas coisas: os problemas que você soluciona ou aqueles que você provoca.

Agora, não basta se contentar em ser somente um solucionador dos problemas já existentes, mesmo que você seja muito bem pago para isso. Criar problemas, por outro lado, significa explorar novos caminhos, a partir dos problemas que você, e ninguém mais, observou ou que deseja criar e solucionar. Ficou difícil de entender? Vou te explicar com uma história. Steve Jobs, inventor, empresário e magnata norte-americano no setor da informática, fundador da Apple, construiu um império criando problemas para serem solucionados. Jobs já fazia muito sucesso vendendo seus computadores, mas gostava de ver o mundo sempre de uma forma diferente. Ele queria saber o que havia de mais em um Blackberry e explicaram a ele que o diferencial era o telefone possuir um teclado como o de um computador. Steve então pensou que, se o trunfo era ter todas as teclas, ele queria um celular com apenas uma tecla. Acabou criando um problema que precisava de uma solução. Depois de observar pessoas usando seus celulares que não ofereciam nada de mais,

Jobs teve a ideia de usar um pequeno display multitouch para poder embarcá-lo em celulares.

Scott Forstall era o responsável por colocar o touch onde Jobs queria. E assim, segundo Scott, teria nascido o Projeto Purple, codinome para o primeiro iPhone. Em 9 de janeiro de 2007, Jobs subiu ao palco do Moscone Center, na cidade de San Francisco (EUA) e anunciou o seu novo produto revolucionário. Após o lançamento, uma nova indústria foi criada: a dos smartphones. Jobs nunca parou de criar e de solucionar problemas. Em 2008, a Apple lançou a versão de tecnologia 3G do aparelho, o iPhone 3G; em julho de 2009, lançou o iPhone 3GS (speed), com comando de voz e muito mais rápido do que os modelos anteriores. Jobs não era apenas dono de um negócio, era um empreendedor. Ele não apenas criou um problema tecnológico para o mercado, como desenvolveu soluções inovadoras e disruptivas que viriam a transformar todo o segmento. No processo, Jobs criou riqueza para si mesmo e para muitos outros, como funcionários, fornecedores de peças, programadores, varejistas. No momento de sua morte, em 2011, a fortuna de Jobs estava avaliada em US$ 7 bilhões. Sua esposa e herdeira, Laurene Powell Jobs, é atualmente a sexta mulher mais rica do mundo, com uma fortuna quatro ou cinco vezes maior.

Entenda o poder que há em criar problemas. Depois de desenvolver o telefone com apenas uma tecla, a Apple lançou o telefone sem nenhuma tecla e todos no mercado começaram a copiar. Steve Jobs mexeu na indústria de celulares por ter criado esse problema e sua empresa alcançou o valor de um trilhão de dólares. Outras empresas que criaram problemas e são valiosíssimas: Tesla, SpaceX e Solar-City, de Elon Musk, que juntas valem um trilhão de dólares; e a Amazon, de Jeff Bezos. As pessoas mais *assustadoras* da Terra são aquelas que criam problemas. Não invente problemas que você não conseguirá resolver, mas crie problemas que as pessoas irão procurá-lo para resolver.

A Amazon cresceu tanto que criou o problema das entregas rápidas. Para alcançar isso, aplicou o leilão reverso e investiu pesado em automação e tecnologia. O leilão positivo é aquele clássico, quem ganha é quem paga mais. Já no leilão invertido ganha quem dá menos. Começa com um lance de, por exemplo, cem milhões e, no final, o valor realmente pago é quarenta milhões. Caras como Jeff Bezos e Elon Musk foram procurar problemas até no espaço! Eles falam sobre o valor do frete de urânio, sobre usar tecnologia espacial nos carros. Ou seja, a conversa deles está em outro nível. São pessoas disruptivas que enxergam o futuro antes de ele acontecer.

Quem se recusa a encarar os problemas como oportunidades de criar inovação não governa verdadeiramente sobre os caminhos da riqueza. Mesmo grandes companhias se perdem em sua trajetória por não aceitar a importância de serem disruptivas. Elas não empreendem para valer. Antes de Jobs lançar o seu iPhone, parecia que tudo ia muito bem para a companhia canadense BlackBerry, antiga RIM. Os CEOs que a gerenciavam à época – Mike Lazaridis e Jim Balsillie, os fundadores da RIM – não estavam tão abertos a realizar mudanças. Eles achavam que o volume de vendas de seus celulares se encontrava em um patamar confortável e enxergavam os seus aparelhos como simples acessórios de trabalho e não como objetos de desejo. Demoraram, também, a entender que os consumidores estavam encantados com as telas touch de Jobs. Ao não acreditarem que o iPhone poderia ameaçar o seu próprio reinado, no fim de 2011 viram o valor de mercado da RIM despencar 70%. A crise se tornou tão grave para a companhia que foi preciso pagar US$ 1 milhão ao ano para que um especialista em solucionar problemas para empresas em dificuldade, chamado John S. Chen, tentasse manter a Blackberry de pé.

Vale ressaltar que, para inovar, não é necessário criar um produto completamente novo. Steve Jobs não inventou um aparelho de teletransporte ou uma máquina para viajar no tempo, mas criou uma diferenciação na qual ninguém antes havia pensado. Pode ser que a oportunidade que você espera esteja em uma área bastante tradicional. Contudo, a sua solução precisa ser inovadora e audaciosa. Como fazer isso? Pensando em como melhorar a vida das pessoas. É por isso que algumas pessoas fazem grandes fortunas e suas empresas chegam a valer milhões, bilhões de dólares. Quer ficar milionário? Resolva o problema de mil pessoas com um produto, serviço ou acesso que custe mil reais, por exemplo. O código do bilhão é alcançar um milhão de pessoas. O código do trilhão é alcançar um bilhão de pessoas.

Empreender, portanto, é resolver problemas com eficiência e crescer ao longo do processo. É manter seu foco na solução. É agir em vez de ficar sentado, aguardando uma mudança na direção do vento que pode não acontecer. Se você lançar um olhar atento sobre a Bíblia, verá que os problemas sempre existiram, em forma de dificuldades que precisavam ser vencidas por quem tinha fé no Criador e em si mesmo. Davi, por exemplo, era um jovem empreendedor que se ocupava com a criação de ovelhas antes de decidir enfrentar o gigante Golias. Imagine a cena do jovem pastor de ovelhas enfrentando um gigante avassalador. Davi era um homem considerado pequeno fisicamente para vencer o gigante que afrontava o povo de Israel. Ainda assim, Davi não se acanhou. Ao chegar ao campo, ouviu o desafio de Golias e viu o pânico dos soldados israelenses. Davi ficou indignado com a posição dos soldados, que aceitavam passivamente que o seu Deus fosse afrontado. Em lugar de se preocupar com o tamanho do gigante, ele pensou na melhor maneira de derrotá-lo. Com apenas uma funda e cinco pedras, acertou a testa do filisteu e o derrubou facilmente ao chão. Davi não teve medo por estar diante de um gigante. Ele decidiu solucionar o problema sem ficar esperando que outros o fizessem, porque sabia que Deus o havia escolhido para agir e ser vitorioso. O que será que Davi estava pensando? Eu imagino: "Deus está ao meu lado, portanto a vitória está garantida e a recompensa será muito boa. Então, por que não aproveitar a oportunidade?". Davi acreditou na proteção de Deus sobre seus investimentos e enxergou na luta contra Golias uma oportunidade de alavancar os seus negócios e mudar a sorte de sua família. Para isso usou o que tinha em mãos: sua atitude vencedora. Davi era mesmo um baita empreendedor!

Assim como os israelitas que se aterrorizaram diante do gigante Golias, são muitas as pessoas que ficam presas à inércia, enquanto culpam o desemprego ou a crise econômica, os gigantes da atualidade. O verdadeiro empreendedor, no entanto, é aquele que "decide realizar", como já esclarecido no início deste capítulo. Em vez de se fixar no problema, aquele que empreende parte em busca da solução. Digamos, por exemplo, que as pessoas desejem comprar determinado produto, mas há poucos fornecedores no mercado. Quem enxergar esse problema como uma oportunidade vai se dedicar a satisfazer essa demanda reprimida e ficar rico. Esse conceito é muito parecido com a lei da oferta e procura, desenvolvida por Adam Smith. Quanto mais um item for procurado, maior será o seu preço. Quanto menos o item for procurado, menor será o seu preço. Porém, se nenhuma pessoa estiver querendo o produto, o mercado vai reduzir seu preço, na tentativa de obter algum cliente. Quando acontece um desencontro entre oferta e procura, o empreendedor que enxergar como solucionar esse dilema terá uma grande oportunidade de realizar negócios vantajosos.

Anote o código

Empreender é enxergar as oportunidades ao redor.

Empreender, no Brasil, é pular em um precipício com as peças para construir um avião, o mapa de montagem da fuselagem, o plano de voo, e então montar o avião e voar antes de cair no chão. Empreender é realmente difícil, mas é possível. O verdadeiro empreendedor não se acomoda em sua zona de conforto. Ele se antecipa aos problemas e busca soluções que fujam do convencional. Às vezes, é preciso parar tudo e recomeçar. Eu devo dizer a você que, em minhas próprias empresas, me esforço todos os dias para inovar. Eu empreendo em coisas tão diferentes que faço os meus próprios negócios se tornarem obsoletos, pois só assim é possível crescer. Conforme o conhecimento e a tecnologia avançam, os modelos tradicionais vão perdendo a potência e caindo em desuso. Até o futuro dos carros que usam a combustão já está comprometido pela existência de carros elétricos que estão sendo inseridos no mercado. Os negócios tradicionais não deixarão de existir, mas quem não estiver na internet dificilmente resistirá.

Às vezes, é necessário parar tudo e recomeçar. Isso não significa agir sem refletir ou sem escalonar. Escalonar significa organizar as etapas de crescimento de maneira estratégica. É dar um passo de cada vez. Quando Deus criou o mundo, Ele o fez em seis dias e descansou no sétimo. O Criador não fez isso porque realmente estivesse cansado, pois Deus nunca Se cansa, e sim para demonstrar que devemos desfrutar daquilo que construímos. Ele demonstrou que, para realizar uma obra grandiosa, você deve começar sempre pela base. No dia 1 da Criação (Gênesis 1:1-5), Deus criou os céus, ou seja, o espaço sideral. No dia 2 da Criação (Gênesis 1:6-8), Deus criou o céu, ou seja, uma barreira entre as águas sobre a superfície e a umidade do ar. No dia 3 da Criação (Gênesis 1:9-13), Deus criou a terra seca. No dia 4 da Criação (Gênesis 1:14-19), Deus criou todas as estrelas e corpos celestes. No dia 5 da Criação (Gênesis 1:20-23), Deus criou toda a vida que vive na água. No dia 6 da Criação (Gênesis 1:24-31), Deus criou todas as criaturas que vivem em terra firme. Isso inclui também o homem e todo tipo de criatura não formada nos dias anteriores. Deus declarou, então, que o trabalho estava bom. No sétimo e último dia da Criação (Gênesis 2:1-3), Deus descansou. Isso de forma alguma significa que Ele ficou parado, e sim que Sua criação estava completa para que o homem pudesse repousar junto a Ele.

Anote o código

Você não deve ter pressa, mas também não deve ficar parado!

Empreender com afobação é o mesmo que desperdiçar oportunidades de aprendizado. Muita gente sonha em criar um negócio escalável. Não confunda escalar com escalonar. Um negócio escalável é aquele que apresenta potencial ilimitado de expansão. O modelo de serviço da Airbnb, por exemplo, é um negócio escalável. A sua sistemática reúne donos de imóveis que têm interesse em ganhar uma renda extra com turistas que precisam de uma acomodação. Com isso, o proprietário da empresa não necessita aumentar os custos para ter um faturamento maior. Ele não precisa construir casas ou hotéis, tampouco alugar aviões. Durante a pandemia de covid-19, no entanto, todo o mercado de turismo arrefeceu. O golpe devastador da pandemia na indústria turística colocou até mesmo a Airbnb diante do maior desafio da sua história. Seu fundador, Brian Chesky, chegou a dizer que demorou doze anos para construir o negócio e perdeu quase tudo em questão de quatro a seis semanas! A startup sobreviveu porque tinha uma base sólida e aprendeu a superar os obstáculos que surgiram no meio do caminho. O que eu quero explicar com esse exemplo é que, se você subir um arranha-céu sem construir bem a estrutura, ele desmoronará.

Empreender é criar uma estrutura para gerar solução ou transformação. Se essa estrutura for crescer, precisa mexer na base para que seja sólida. Se começar a aumentar a estrutura sem reforçar sua base, tudo vai desmoronar. Jesus já havia dito isso, não para demonstrar escassez, mas para saber que Ele mandou você começar ou terminar a torre, pois, mesmo que a conta não feche, Ele está com você.

A fundação diz muito sobre o sucesso de uma edificação. Antes de crescer, você precisa trabalhar a sua base. É o tamanho do seu terreno que determina o tamanho da construção. O tamanho da base da sua fundação diz sobre a altura que seu prédio terá. Trilhar o caminho da riqueza da maneira certa, sem atropelos e com consistência, o prepara com experiências e lições que serão usadas no momento certo. Eu nunca me arrependo de ter começado modestamente. Eu já fui panfleteiro, atendente de call center, iluminador, sonoplasta, assistente em escritório de advocacia, mecânico de automóveis e muitas outras coisas que me trouxeram até aqui. Em todas essas funções eu aprendi muito e sempre dizia para mim mesmo que aquilo era só o começo. Meu pai falava que eu não parava em lugar nenhum, quando na realidade eu estava empreendendo. Não limite as suas oportunidades de aprendizado. Lembre-se de que o único oponente que você tem é o medo de abandonar a sua zona de conforto.

Há outro ponto em relação a uma construção: em muitos lugares, dá para saber o tamanho máximo de uma edificação se você consultar o plano diretor de uma cidade. Ele estabelece o tamanho da área de reserva e das regiões onde não se pode construir. Deus conhece o plano diretor de Suas obras e sabe o que é possível edificar em cada pessoa. Se Ele coloca uma pressão em mim e ainda não tenho estrutura, a edificação vai desabar. Procure saber para o que Ele o chamou e veja como está a sua estrutura. Para chegar a ser a edificação que Ele projetou para você, deixe-O ampliar a sua base de experiências.

Não pense que empreender, criar um grande problema e servir a milhares de pessoas irá torná-lo rico de uma hora para outra. As pessoas querem fórmulas mágicas para enriquecer, mas isso não existe. Na verdade, você já é rico, só precisa remover os bloqueios e mudar a sua mentalidade para acessar a riqueza. É por isso que a maioria dos ganhadores da loteria ou de prêmios de *reality shows* voltam a ser pobres em pouco tempo, eles não mudam de mentalidade.

Veja o exemplo do povo de Israel. Passaram 430 escravizados anos no Egito e, durante esse tempo, instalou-se na cabeça deles essa mentalidade. Tanto que, no caminho do deserto, desejaram voltar ao Egito por causa da comida. Mas, ao sair do Egito, o povo deu todo o seu ouro aos israelitas, o que foi uma forma de Deus indenizá-los pelos anos de escravidão. Deus concedeu a liberdade ao Seu povo e a indenização para ser usada no momento certo. Eles estavam com todo o ouro da nação mais rica da Terra na época, porém muitos não tinham de fato conquistado sua independência. Um dia, no deserto, enquanto Moisés estava no Monte Sinai falando com o Senhor, os filhos de Israel, cansados de esperá-lo, fizeram um bezerro de ouro e começaram a adorá-lo. Ao retornar de seu encontro com Deus, Moisés queimou o bezerro de ouro, o transformou em pó, jogou sobre as águas e mandou o povo beber.

Muitos pensam que o bezerro de ouro foi uma desconexão com Deus, mas não foi. Eles não sabiam o que fazer sem Moisés nem como usar tanta riqueza, e, de todo o coração, fizeram o bezerro para adorar a Deus. O bezerro de ouro representava as obras próprias, porque queriam agradar a Deus da maneira deles, por pensarem que estavam sem Moisés. Eles viram e ouviram coisas poderosas desde a saída do Egito até o tempo no deserto, mas foram covardes e não conseguiram canalizar tudo aquilo para algo que agradasse a Deus. Perderam o mover de Deus e usaram o ouro antes do tempo.

Quando pegaram o ouro dos egípcios, não tinham entendido nem por que, nem para que, nem como deveriam usá-lo. Deus nos libera riquezas reais, mas, como não as buscamos para entender de onde vieram, para que servem, como usá-las nem o porquê de todas as coisas, não conseguimos perceber a riqueza e a jogamos fora.

As pessoas que não entendem que a riqueza é para ser canalizada e a retêm para si, Deus faz que seja como o ouro para o povo no deserto: você até prova, mas não consegue manter. Deus dá a semente em forma de aprendizado e sabedoria, contudo as pessoas não usufruem e a jogam fora. Quem é dependente perde sua identidade, que é a maior riqueza do ser humano. Não rasga seu coração, não anda nas profundezas e não busca o que movimenta a humanidade e todas as coisas, porque quer estabilidade e conforto. O dia em que deixei de ser ignorante, acabei com a mentalidade dependente e parei de comer ouro. Entendi que ele precisa ser canalizado. A riqueza precisa ser canalizada porque nós somos apenas mordomos cuidando dela.

Anote o código

Deus dá de glória em glória, a fim de fazer você suportar o processo.

Leve em conta que, muitas vezes, os recursos da riqueza surgem desmontados, como aqueles blocos de brinquedo que você precisa montar para criar o objeto completo. Sem o manual, fica mais difícil descobrir qual peça deve vir antes da outra para realizar essa montagem perfeitamente. Você pode desistir no meio do caminho, mas eu asseguro que elas não vão se montar sozinhas. Você também não deve esperar que a sua motivação e o seu pensamento positivo façam todo o trabalho. Você vai ter de fazer a sua parte, bater a cabeça, pedir ajuda, fazer, desfazer, fazer novamente.

Anote o código

A fé não funciona sem oração e a oração não funciona sem ação.

Se, a partir deste ponto, você considerar que chegou a sua hora de empreender no mundo dos negócios, eu tenho ainda algumas ponderações. A primeira delas é sobre o número de pessoas que se endividam para abrir um negócio, ou que gastam absolutamente todo o dinheiro que possuem sem estarem bem preparadas e cientes do que de fato desejam. Empreender não é fazer dívida, muito menos apostar na sorte.

Se você precisa de dinheiro, pode fazer uma dívida de alavancagem. Esse tipo de crédito é bem diferente de pegar empréstimo com o banco para comprar algo que não vai gerar retorno. Em finanças, alavancagem é o termo genérico que designa qualquer técnica utilizada para multiplicar a rentabilidade por meio de endividamento. Resulta, portanto, da participação de recursos de terceiros na estrutura do capital de uma empresa. Sem experiência, você corre o risco de perder tudo e ainda ficar devendo. Pense: comprar um smartphone de última geração vai fazer você ganhar mais dinheiro ou somente aparecer na frente dos seus amigos? Alugar um jatinho vai ajudá-lo a fechar novos negócios, ou fazer você apenas parecer bem-sucedido? Quando você não está certo sobre uma decisão, precisa se munir de informações e de bons conselhos. Ouvir pessoas mais experientes não é fraqueza, é sinal de inteligência. Você pode criar uma espécie de "Conselho Administrativo" ao qual possa recorrer sempre que estiver na dúvida sobre alguma decisão importante, aproveitando o seu networking. A Bíblia ensina que até mesmo nos tempos antigos havia necessidade de empreender com segurança.

Anote o código

"Não havendo sábios conselhos, o povo cai; mas na multidão de conselhos há segurança" (Provérbios 11:14).

Você também precisa combater a tentação de imitar a concorrência. Fazer isso não é criar problema, é sempre fazer parte do problema dos outros. Um dos riscos de copiar é acabar adaptando uma estratégia concorrente que não gera o resultado esperado. Sem falar que você também pode acabar ajudando seus concorrentes a subirem mais. Não contamine o seu coração usando o seu tempo para prosperar para ver o que os outros estão fazendo e tentar imitá-los. Seja pioneiro e crie um problema ou uma ênfase nunca vista. Pense que seu único concorrente é você mesmo. Ao analisar e estudar o que e como os outros crescem, pode perceber características que você sempre teve, mas às quais nunca deu a devida atenção. Como o caso do Steve Jobs com o aparelho da marca Blackberry. Ver alguém operando com sucesso pode injetar o ânimo que você precisa para sair do lugar.

Desde cedo eu aprendi, ainda, os riscos de pôr todos os meus ovos em uma única cesta. Com isso quero dizer que depender de uma só fonte de renda nunca é uma boa ideia. Se a sua fonte de dinheiro se origina de um emprego, por exemplo, a demissão costuma ser um risco constante e você não deve esperar ser demitido para tomar uma atitude. Da mesma maneira, quando a fonte de renda vem de um pequeno comércio, as crises e os inúmeros imprevistos próprios do sistema podem acabar comprometendo o faturamento ou até mesmo a viabilidade do negócio. Portanto, não existe uma fonte de renda 100% segura. Busque gerar múltiplas fontes de renda. Eu recomendo pelo menos três. Quem ignora isso se torna dependente e desperdiça as próprias chances de diversificar e desenvolver novos talentos.

Anote o código

Nunca viva com uma única fonte de renda ou você se tornará escravo dela.

Para empreender no mundo dos negócios e ter retorno financeiro, você precisa gerar valor e apresentar diferenciação. Para isso, é importante descobrir qual é a sua essência, a sua personalidade, o seu perfume verdadeiro. Tudo aquilo que identifica você de longe e não deixa dúvidas do que você tem a oferecer. Quando a sua essência atende às necessidades e aos desejos do consumidor, você explode. Digamos que você queira vender refeições vegetarianas, mas não passa o fim de semana sem churrasco. Além de não fazer parte do seu DNA, você não vai atingir o alvo porque não enxerga da mesma maneira a fome do seu consumidor. Diferenciação, por sua vez, não significa desenvolver aquilo que os seus concorrentes não possuem, e sim algo que dificilmente poderá ser copiado pelos demais.

Algumas vezes, enquanto você trabalha para gerar valor, parece estar no prejuízo. Contudo, eu asseguro: é exatamente o contrário! Você está apenas aumentando o seu poder de tiro, e na hora em que estiver pronto, o seu empreendimento vai crescer assustadoramente. Uma estratégia bastante usual no mercado é conhecida como SVA (Serviço de Valor Agregado). Esse termo é popular no setor de telecomunicações para serviços não essenciais, ou seja, todos os serviços ofertados além das chamadas de voz são serviços de valor agregado. Ligações ilimitadas e acesso às redes sociais sem gastar a franquia são exemplos de SVA. No entanto, esse atrativo pode ser usado em qualquer setor de serviços para promover os negócios principais.

Como empreendedor no mundo dos negócios, eu costumo exercitar o leilão reverso. Ele funciona da seguinte maneira: a empresa interessada em comprar algum produto ou serviço expõe o que deseja adquirir e, para isso, convida diversos fornecedores a dar um lance. Digamos que uma empresa precisa comprar um caminhão. Quem estiver apto a vender o veículo procurado pelo comprador dá o lance de preço. Conseguirá efetuar a venda quem oferecer a melhor proposta. O leilão reverso é uma boa forma de aparecer no mercado para quem ainda está começando e as negociações são mais rápidas e dinâmicas.

Ao chegar aqui, tenho certeza de que você já entendeu que empreender não é apenas abrir uma empresa, e sim detectar problemas, buscar soluções, inovar e persistir, olhando sempre para a frente. Você pode ser pragmático e empreender pensando somente em seu universo profissional, ou pode empreender em tudo quanto for necessário para estar no seu propósito de vida. Essa é a verdadeira riqueza. Deus é o maior de todos os empreendedores. E Ele deu Seu único filho ao mundo e ganhou milhares de filhos e filhas para o Seu Reino.

Empreender
é a ação de
fazer as coisas
crescerem.

5

5º Caminho da riqueza

investir

Investimento não é uma função ou um cargo. Pertence à nossa identidade, porque somos imagem e semelhança do Criador, e melhor investidor do que Ele não há. Deus é investidor, já pensou nisso? Ele nos dá a semente e não o fruto. O único lugar em que Deus plantou foi no Éden e depois nunca mais realizou qualquer plantio. Deus é doador. Eu fui destravado nessa questão quando conheci mais sobre Deus. Ele é o maior investidor de todos, então você precisa aprender que, se Ele é o maior, você também é. Foi Ele quem criou as águas, a Terra, os astros, as pessoas, tudo com o maior amor. Eu não conheço quem tenha feito mais investimentos em nosso planeta do que o Criador. Sabe o que é mais interessante? Deus não criou tudo isso pensando em Si mesmo. Ele investiu pensando em você! Esse é o tipo mais genuíno de investidor, aquele que dispõe de todos os seus recursos para que o outro prospere e produza riquezas.

A Palavra é doada. Quando você compra uma Bíblia, está comprando a impressão dela e não a palavra que sai dela, porque esta é de graça e é para todos. O que se compra é o material impresso ou o tempo investido nessa impressão. Compra-se a experiência das pessoas, a frequência ou a energia empregada em um produto ou serviço.

Deus investiu até mesmo Seu único filho, Jesus Cristo, ao enviá-Lo para morrer na cruz, porque conhecia a dimensão do retorno em Seu investimento de amor pelo homem. O retorno do investimento foi a salvação da humanidade, conforme a Palavra nos ensina no Salmo 115:16: "Os céus são os céus do senhor, mas a terra a deu aos filhos dos homens".

Anote o código

Deus é um ótimo investidor e sabe quem é capaz de gerar retorno positivo.

Para produzir riqueza, tudo depende de você dar o primeiro passo, se desenvolver, desafiar as próprias crenças limitantes e acreditar no potencial investido em você pelo próprio Deus. Mas Ele não saiu investindo aleatoriamente. Deus focou as pessoas porque conhece completamente as capacidades, as habilidades e até mesmo as falhas e os defeitos de cada uma delas. Ele investiu tudo para que você viva o seu propósito com abundância. Quando você entende como investir com o coração generoso como fez o próprio Criador, descobre a melhor maneira de semear para receber em troca o que plantou.

Anote o código

Todo investimento gera algum retorno.

É importante saber que absolutamente tudo em nosso planeta gera retorno. O que você precisa levar em conta é que esse retorno pode ser tanto positivo quanto negativo. Quem investe ódio recebe ódio de volta. Quem investe amor recebe amor. Quando você investe em seu casamento, por exemplo, o relacionamento melhora. Se você arruma a sua casa, ela fica mais bonita. Por outro lado, se você é um pai ausente, seus filhos não vão progredir como deveriam e podem até mesmo seguir por maus caminhos.

O investimento ruim gera uma colheita ruim, assim como bons investimentos resultam em fartura. No mundo dos negócios e das finanças, bons investimentos geram lucro, enquanto maus investimentos geram prejuízo. Eu tenho um conhecido, por exemplo, que decidiu investir 300 mil reais em criptomoedas. Ele recebeu, como retorno, somente 5 mil reais. Custou a ele 295 mil reais aprender que esse tipo de investimento não deve ser feito por quem não tem experiência nesse ramo de mercado. Da mesma maneira que Deus investiu conhecendo os nossos corações, não faz sentido para você, que não é onisciente, que não possui conhecimento infinito sobre todas as coisas como o Criador, precipitar-se sobre investimentos sobre os quais ainda não governa. Ao investir, você deve levar em conta o melhor ROI – *Return on Investment* (Retorno sobre Investimento).

Em finanças, o ROI é a relação entre a quantidade de dinheiro ganho como resultado de um investimento e a quantidade de dinheiro investido. Vamos pensar em termos de semeadura e colheita. Certo dia, levei um investidor para conhecer uma plantação de milho. Expliquei a ele que, dependendo do tipo de semeadura, uma única semente pode render outras mil. Se eu continuar a plantar da maneira correta, essas mil sementes renderão um milhão no primeiro ciclo e um bilhão no segundo. Veja que baita investimento! Contudo, não adianta somente plantar e esperar pela multiplicação das sementes. É preciso semear no tempo certo e em solo fértil, para que as sementes possam produzir o seu milagre da multiplicação. Quando isso não acontece, o ROI é negativo.

Certamente você já ouviu falar no milagre da multiplicação dos pães realizado por Jesus. De acordo com os evangelhos, quando Jesus ouviu que João Batista havia sido morto, Ele recuou solitariamente para um local em Betsaida. A multidão seguiu Jesus a pé a partir das cidades da região. Quando Ele desembarcou e viu a grande quantidade de gente reunida, Ele Se compadeceu dela e curou os doentes. Conforme a noite se aproximou, os discípulos chegaram até Ele e disseram: "Este lugar é deserto e a hora é já passada; despede, pois, as multidões, para que, indo às aldeias, comprem alguma coisa para comer". Jesus respondeu: "Não precisam ir; dai-lhes vós de comer". Os discípulos retrucaram: "Não temos aqui senão cinco pães e dois peixes". Jesus, então, ordenou ao povo que se sentasse na grama. Tomando os cinco pães e os dois peixes e olhando para o céu, Ele agradeceu e partiu os pães. Então os deu para os discípulos e eles os deram para o povo. Todos puderam comer e se satisfizeram, sobrando ainda aos discípulos doze cestos com pedaços de pão.

Como teria Jesus conseguido multiplicar o investimento inicial de cinco pães? Muito simples: Jesus sabia exatamente o que deveria fazer. Ele conhecia todas as regras do próprio Pai, que criou todo o Universo e o que há nele. Para investir, você precisa ter pelo menos noções elementares sobre o assunto, antes de sair por aí apostando no risco. Avaliar as opções, sem se iludir com qualquer oferta, é essencial. Deus quer que você acesse a riqueza que está no mundo e fique saciado. Ele apenas deseja que você reflita primeiro e use o seu bom senso para semear na época certa. Ao criar o homem à sua imagem e semelhança, Deus deu a ele domínio, poder e autoridade sobre as aves dos céus, os peixes do mar e sobre os répteis da terra (Gênesis 1:26). Imagine, então, sobre a riqueza! É como se Ele tivesse assinado um cheque nominal em branco ou entregado a senha do PIX celestial. Basta você preencher o valor e sacar o quanto quiser. A conta bancária de Deus tem fundo infinito e ilimitado, mas quem determina quanto deve ser retirado é você. Adão não entendeu a riqueza que Deus ofereceu a ele. Preferiu ouvir o conselho do diabo e saiu do Paraíso com um cheque de valor limitado e muito abaixo do que poderia sacar. Ele não quis desfrutar do Sétimo Dia junto do Criador. Sabe o que aconteceu? O investimento de Adão rendeu menos do que as criptomoedas daquele meu velho conhecido. Adão perdeu tudo.

Anote o código

Para obter retorno positivo você precisa semear corretamente.

Às vezes, em vez de investir para obter retorno positivo, algumas pessoas fazem exatamente o oposto. Elas vão jogando fora a riqueza que já possuem em investimentos ruins. Você acha que aquele que bebe, que é viciado em jogatinas ou pornografia, que comete crimes e delitos entende de bom investimento? Definitivamente, não. Essa pessoa está deteriorando o capital inicial que recebeu das mãos de Deus. Está pondo a perder saúde, bem-estar, família, trabalho, amigos, paz. O dia em que eu entendi essa verdade, abandonei antigos hábitos que poderiam gerar a mim mesmo retorno negativo. Comportamentos corriqueiros, mas que não me edificavam como ser humano. Eu mudei até mesmo os programas que via na TV. Atualmente, eu prefiro não assistir aos noticiários, pois geram prejuízo à saúde mental. Eles não edificam a obra de Deus. Eu prefiro assistir aos bons documentários ou ler livros, brincar com os meus filhos, fazer exercícios, cuidar de minhas empresas, tudo aquilo que me traz retorno positivo.

Anote o código

Você pode passar a vida investindo de forma errada, ou parar agora mesmo e começar a ter retorno.

Tenho certeza de que você já ouviu a pergunta: "O que veio primeiro: o ovo ou a galinha?". Com toda a certeza, foi a galinha. Deus criou primeiro a matriz, e não o contrário. Por essa razão, retorno é o sobrenome do investimento. Você investe para ter retorno e não o oposto. Deus nunca investiu Se perguntando se teria ou não algum resultado, pois isso já era certo. Ele sabia exatamente como e quando deveria investir. Deus deu o exemplo primeiro; portanto, é seu dever investir da maneira como Ele ensinou, ou seja, com convicção e segurança. Por mais simples que seja essa lógica, ainda há muita gente que investe em coisas que não dão retorno. Nada justifica despender energia, esforço e dedicação em algo que fará você ter apenas custos e despesas, sem receber nada em troca. Isso vale para todas as áreas de sua vida e não apenas em relação às finanças. Quando você destina o seu amor a uma pessoa que não retribui o sentimento, está desperdiçando seu investimento. Quando você compra um caminhão e o deixa parado na garagem, enquanto o valor dele se deprecia dia após dia, está investindo do jeito errado. Se você tem uma família e não passa tempo o suficiente com ela, está perdendo retorno.

Observe que os conceitos de custo e despesa são muito utilizados no mundo dos negócios. Custo é o dinheiro aplicado na produção de algo que dará retorno a você. Já a despesa se refere a tudo aquilo que não está envolvido diretamente com o processo de produção ou de transformação do produto. Digamos, por exemplo, que você queira vender bolos. Os ingredientes necessários para preparar a sua receita e o gás para assá-la pertencem ao custo do produto. A farinha, os ovos e o leite são a matéria-prima para criar o seu bolo. Agora, se você mandar imprimir alguns panfletos para divulgar a sua fábrica de bolos e pagar um entregador para levá-los até os seus clientes, contabilizará despesas. Você investe da maneira certa quando os custos e as despesas não são maiores do que o retorno que você terá.

Anote o código

Calcule o seu retorno antes de investir.

Não é papel de Deus dizer a você onde e quando investir. Ele já entregou a você a sua principal riqueza, que é o Seu Reino. Deus não vai enfiar a bola na cesta. Quem deve arremessar a bola é você. Oscar Schmidt, famoso ex-jogador brasileiro de basquetebol, é considerado um dos maiores do mundo em todos os tempos, mesmo sem ter atuado na NBA. Oscar conta que, para se tornar o maior pontuador da história desse esporte, com 49.737 pontos, ele só jantava depois de conseguir converter cem arremessos de três pontos. Deus deu a ele o talento, mas foi preciso investir em treinamento para obter retorno positivo. Se você ler a Parábola dos Talentos (Mateus 25:14-30), vai entender que Deus dá a cada pessoa uma dose de dons diferentes das que são entregues aos outros. Alguns recebem muita inteligência e pouca força física; outros, o contrário; uns nascem com aptidão para as artes; outros, para a medicina, e assim por diante.

São habilidades diferentes e em quantidades variadas. Porém, não há injustiça nessa distribuição, pois Deus julga as realizações de todos conforme a capacidade de cada um. O único comportamento que Deus não aceita é o descaso e a inércia, como a do servo da parábola, que enterrou a moeda recebida de seu senhor para não produzir ao menos um pouco de fruto, e ainda alegou ter medo da severidade de seu patrão. Deus não é injusto. Ele é profissional em investimentos. E sempre investirá de acordo com a sua capacidade.

Anote o código

A falta de ação não produz riqueza.

Quando você entende que, a fim de ter as melhores oportunidades de investimento, precisa agir e ampliar a sua capacidade, começa a entender a importância de elevar-se. Quem investe em aprendizado recebe a recompensa primeiro. Portanto, seja o primeiro naquilo para que Deus chamá-lo! Se você investir em aprendizado, vai prosperar, principalmente a partir do momento em que aplicar o conhecimento, porque Deus dá sabedoria a todos aqueles que O buscam. O conhecimento aplicado produz a sabedoria, protege você contra o retorno negativo e também o ajuda a tomar as melhores decisões. Por falta de preparo, muita gente comete erros que poderiam ser evitados e acabam por enfrentar prejuízos incalculáveis. A maioria das pessoas está buscando conteúdo, porém não investe a vida em conteúdo, mas na construção de novas crenças, de novas frequências e de novas energias, isso é investimento de verdade, é legítimo. Quem tem falta de conhecimento pode pedir a Deus por mais sabedoria. Deus é doador e entrega a você tudo de graça. Contudo, Ele dá a semente apenas àquele que semeia. Deus não planta, não rega, não colhe, não desperdiça sementes. Se você não planta, o Criador tira a semente da sua mão. Pessoas despreparadas não geram nenhum valor e acabam sempre tendo retorno negativo.

Anote o código

Quem investe em aprendizado prospera. Invista em você!

Fazer perguntas é uma boa maneira de ampliar o seu conhecimento. O retorno positivo que você recebe desse tipo de investimento é informação. Questionar é investir em sabedoria. Quanto mais informações você recebe, melhor investidor você se torna. Para isso, é preciso fazer as perguntas às pessoas certas para receber dados realmente relevantes. Consultar-se com quem sabe ainda menos do que você fará o seu ROI, evidentemente, ser negativo. Fazer perguntas não quer dizer apenas ser curioso. Você deve direcionar as suas dúvidas sobre temas que realmente possam fazer a diferença para a sua vida. Sabe o que acontece quando aciona o seu cérebro a partir do questionamento? Você descobre que o seu nível de inteligência é muito maior do que imaginava e a sua evolução acontece mais depressa do que se a informação tivesse simplesmente chegado até você. Para a Filosofia, o saber, muitas vezes, é considerado menos importante do que a dúvida, pois é ela que movimenta o conhecimento crítico. Se você aceita todas as informações ao seu redor sem perguntar a si mesmo ou a outros se elas fazem sentido, corre o risco de ser direcionado ao erro ou a falsidades. Você acaba se transformando em um investidor aleatório, que pouco se interessa pelo que está investindo, e tem mais chances de prejuízo. O seu alvo deve ser se tornar um investidor intencional, aquele que escolhe, de forma disciplinada e constante, quando, onde e o quanto deseja ganhar.

Anote o código
Perguntar é a melhor maneira de aprender.

Quando você investe nas ações de uma empresa, não está investindo no capital financeiro da companhia, e sim nas pessoas que usam o produto, o serviço ou o acesso que ela produz ou fornece. Empresas vendem conforto, praticidade e bem-estar e isso vai muito além de simples bens de consumo. Se você não gosta de gente, jamais será um bom investidor. Bert Hellinger, criador do método terapêutico de resolução de conflitos denominado *Constelação Familiar*, diz que uma empresa bem-sucedida é aquela a serviço da vida e dos seres humanos. Segundo Hellinger, é preciso colocar o foco no benefício que o seu trabalho vai proporcionar e não apenas em aumentar o faturamento e ter sucesso. Bill Gates, dono da Microsoft, sempre investiu nas pessoas. Boa parte de seu sucesso se deve ao fato de imaginar quem seria o usuário de seus computadores e como a tecnologia de seus softwares melhoraria a vida do consumidor. Como um dos homens mais ricos do mundo, ele continua investindo em pessoas. Boa parte da fortuna de Bill Gates está em nome da Fundação Trust Bill & Melinda Gates, que, ao final de 2020, possuía 22,3 bilhões de dólares em ativos. Essa é uma das maiores carteiras de investimentos do mundo e Gates utiliza grande parte desses recursos para transformar vidas e buscar soluções inovadoras para atacar problemas globais. A Fundação financia, ainda, bolsas de estudos em universidades, apoia ações de educação financeira e iniciativas para aprimorar a agricultura familiar. Gates entendeu que, sem as pessoas, não há riqueza.

Se você não gosta de gente, jamais conseguirá compreender as verdadeiras necessidades que elas possuem. Quanto mais investe nas pessoas, mais retorno positivo você recebe. Deus investe em você. Você investe no próximo. Esse é o ciclo infinito da riqueza.

Anote o código

Quem não ama pessoas não ama a si mesmo.

Deus é
um ótimo
investidor e
sabe quem
é capaz de
gerar retorno
positivo.

6º Caminho da riqueza

criar, produzir e reproduzir

Eu sou alguém que governa nos 8 Caminhos da Riqueza. Este sexto caminho, domino todos os dias. Portanto, tenho experiência para falar a respeito dele e a partir de agora vou transmiti-la a você. Primeiro, uma lição básica: quem cria é a pessoa que governa; quem produz fica com uma parte da energia; quem reproduz consegue escalar. Pegou o código? Então, fique com isso em mente para compreendermos a importância do verbo "criar". No idioma hebraico, *bará* é a palavra que define a atividade criadora de Deus. Em Gênesis, o primeiro livro da Bíblia, no qual se encontra descrita a criação do mundo, esse verbo surge logo no primeiro versículo das escrituras, com o sentido de "*criar a partir do nada*":

> No princípio, Deus criou os céus e a terra. A terra estava informe e vazia; as trevas cobriam o abismo e o Espírito de Deus pairava sobre as águas. E Deus disse: "Faça-se a luz!". E a luz foi feita. E Deus viu que a luz era boa, e separou a luz das trevas. (Gênesis 1:4)

Um pouco mais à frente, o mesmo termo surge com o significado de "*criar a partir de material preexistente*", como na descrição da criação do homem:

> E formou o senhor Deus o homem do pó da terra, e soprou em suas narinas o fôlego da vida; e o homem foi feito alma vivente. (Gênesis 2:7)

Você percebe como "criar" é um conceito extremamente poderoso? Este sexto caminho é tão potente em sua capacidade de gerar riquezas que, ao conseguir destravar o seu próprio poder de criação, você irá realmente longe. Agora, vou dar a você outra boa notícia: Deus já criou todas as coisas para você! O seu único trabalho é fazer o download dos recursos que Ele pôs à sua disposição e assumir a coautoria. Você foi feito à imagem e semelhança do próprio Deus. Portanto, como Seu filho, criar é a sua vocação natural.

Para criar, basta se tornar um decodificador da natureza. Transformar um código para criar outro. Não há nada de complexo nisso. Você não vai construir os céus e a terra, muito menos as criaturas, porque tudo isso não precisa de aprimoramento. Mas você pode criar produtos, serviços ou experiências do jeito que quiser, contanto que eles sejam úteis para alguém. Como? A partir da sua observação. Analisando com olhos de lince o que falta em determinado lugar ou como pode modificar o que já existe para oferecer algo ainda melhor.

Transforme-se em observador voraz do ambiente em que vive, de sua cidade, de sua rua, da casa onde você mora! Comece a olhar ao seu redor com atenção. Contemple! O que você vê e o que poderia ser aprimorado? O que as pessoas procuram, mas não encontram? O que você, no papel de criador e filho de Deus, pode criar para oferecer aos outros filhos? O que já existe, mas você pode fazer melhor?

Anote o código

Contemplar é o primeiro passo para criar o que as pessoas precisam ou desejam e ainda não se deram conta.

Ao determinar qual é a lacuna a ser preenchida, você tem a faca e o queijo nas mãos. Você destrava este sexto caminho da riqueza. A sua criação tem alvo certo, basta pôr em prática. Use a sua observação para entender o cenário e o contexto, quais são as etapas necessárias para alcançar o resultado almejado e reflita sobre o que pode acontecer quando finalmente começar. Imagine acontecendo! É isso que os especialistas em mercado costumam chamar de antevisão. Quem antevê se antecipa aos fatos e enxerga as oportunidades para agir diante deles. Se você é uma pessoa proativa, não precisa de nenhum comando para começar a criar. Você utiliza a sua antevisão para sair na frente, prever situações, avaliar efeitos e o que precisa fazer para se pôr em movimento de maneira assertiva.

"Pablo, eu nunca criei, será que vou conseguir?" Vou dar a você uma resposta definitiva: todo mundo cria, o tempo todo. Cozinhar é criar, consertar coisas é criar, editar vídeos é criar, fazer uma festa é criar, pintar paredes é criar, gerar um filho é criar, cortar o cabelo é criar. Nunca mais ponha essa verdade em dúvida. A diferença entre criar e gerar riqueza está em ser original, adaptar e fazer melhor. O seu bloqueio interior é que o impede de enxergar esse potencial dentro de você. Só não prospera quem duvida de si mesmo.

Anote o código

Para gerar riqueza você precisa desbloquear o seu potencial de criação.

Muitos bloqueios são gerados a partir de vieses cognitivos negativos. Se você pesquisar, vai descobrir que viés cognitivo é um erro sistemático do pensamento que acontece quando as pessoas estão processando e interpretando informações no mundo ao seu redor. Esses vieses afetam as decisões e os julgamentos. Quando eles são negativos, fazem você acreditar em mentiras sobre os outros e sobre si mesmo. Dois pesquisadores e psicólogos israelenses, Daniel Kahneman e Amos Tversky, foram pioneiros ao relatar essas crenças e atalhos criados pelo cérebro, em 1972. Desde então, diferentes vieses cognitivos foram identificados. Eles concluíram que existem mais de 180 vieses cognitivos e que todos eles interferem na forma como você processa dados, pensa e percebe a realidade. Quando se acostuma com o viés cognitivo da negatividade, sente-se incapaz de criar. Mesmo quando a oportunidade surge escancarada à sua frente, você diz a si mesmo: "Não, isso é impossível para mim". Sabe o que acontece depois disso? Você se acostuma com a pobreza. Você aceita o papel de mero consumidor do que os outros criam e não governa. Para assumir o controle sobre este caminho da riqueza, você precisa virar esse jogo e dizer a si mesmo: "Sim, eu posso!".

Anote o código

Quem não cria é obrigado a consumir a criação dos outros.

Agora que você já entendeu que nasceu para criar, comece a se exercitar. Repetindo: assim como Deus fez no início dos tempos, você pode criar a partir do nada, ou observar o que já existe para adaptar, inovar e fazer melhor. Não existe nada de novo em preparar um brigadeiro, por exemplo, mas muita gente encontrou a riqueza financeira ao inventar novos sabores ou vender esse doce congelado. Agora, se além de criar você também produzir e reproduzir, ou seja, se assumir as etapas posteriores de sua criação, vai se transformar em um mestre deste caminho. Ninguém vai tirar você do pódio. Você multiplicará a riqueza de tal forma que ela transbordará através de você de maneira assustadora! Vou dar um exemplo corriqueiro de como esse mecanismo é incrivelmente vigoroso, apenas para ilustrar. Digamos que alguém tenha composto uma canção e decida vender letra e música. O produtor que comprar a composição vai ganhar o dobro ao adaptar o arranjo, mixar os instrumentos e deixar o estúdio preparado para a gravação do vocalista. Por sua vez, o cantor que der voz à canção vai ganhar milhões de reais ao reproduzir a composição em rádios, shows e plataformas digitais. Agora, imagine o que aconteceria se o próprio compositor decidisse também produzir e cantar! Ele ficaria muitas vezes mais rico, não é? A maioria dos compositores costuma vender suas letras por um valor irrisório. Mas os grandes profissionais não vendem, eles mantêm a propriedade da criação ao negociar com quem vai gravar e lançar no mercado, obtendo um percentual sobre os lucros que a canção gerar. A consequência é que vai ter como retorno um bom dinheiro.

Anote o código

Você gera mais riqueza se, além de criar, também produzir e reproduzir!

Se você criar, mas não produzir nem reproduzir, vai limitar o seu caminho. Nem por isso vai deixar de obter resultados. Basta não vender barato a sua obra. Quando você desenvolve um produto, serviço ou experiência a partir da observação do que as pessoas realmente precisam ou desejam, gera um valor incalculável. Por que você venderia barato? Há muitas formas de garantir que você receba o que merece. Ainda utilizando o exemplo do compositor, ele pode exigir o pagamento de royalties por cada execução de sua música em eventos, criar novas canções de sucesso e ainda vender a sua coletânea para uma produtora disposta a pagar pela exclusividade da gravação. Que fique claro: eu não estou aqui dizendo que você deve se tornar o próximo Elton John ou Paul McCartney. Não estou dizendo que você tem de fazer música ou fabricar brigadeiros. Eu somente quero que você comece a entender como este caminho funciona e passe a observar o mundo a partir dele, para criar o que fizer sentido para o seu propósito.

Às vezes, tudo o que você precisa é aprender a ligar os pontos. Foi o que fez o filósofo e escritor francês Denis Diderot. No século 18, ele criou a primeira enciclopédia do mundo, uma obra monumental de 35 volumes. O conhecimento já existia, pois já havia inúmeros cientistas e estudiosos que escreviam suas reflexões e descobertas. Diderot não precisou inventar ou descobrir absolutamente nada. Mas ele observou a ausência de uma obra que reunisse todo esse conhecimento científico, artístico e filosófico da época e a colocasse à disposição do público em geral de uma forma organizada. Mesmo tendo se formado em Artes pela Universidade de Paris, Diderot era filho de um cuteleiro e passava por dificuldades financeiras antes de se tornar famoso com a sua *Encyclopédie*. Mas ele destravou os caminhos da riqueza e depois usou a sua fortuna para fazer o que realmente gostava: escrever romances.

Vou dar outro exemplo. Você certamente já utilizou pilhas em seu controle remoto ou em uma lanterna. A pilha foi criada por Alessandro Volta, famoso cientista italiano, no ano de 1800. Não sei se você sabe, mas, para gerar luz naquela época, era comum usar a eletricidade para aquecer pedaços de metal e fazer o elemento brilhar – isso foi chamado de lâmpada de arco. Só que, apesar de revolucionária, a tal lâmpada esquentava demais tanto o metal quanto o ambiente. Alessandro Volta acreditou que poderia fazer diferente. Ele empilhou discos alternados de zinco e cobre, separando-os por pedaços de tecidos embebidos em solução de ácido sulfúrico. E conseguiu produzir uma corrente elétrica sempre que um fio condutor era ligado aos discos posicionados nas extremidades. Volta não criou o cobre nem o zinco, mas usou metais colocados no mundo por Deus e decidiu inovar. Até obter bons resultados, ele tentou, errou, tentou novamente e criou um produto que se transformaria em uma indústria bilionária. Volta sabia que a sua invenção mudaria a maneira como as pessoas fariam uso da corrente elétrica. Ele anteviu o futuro!

Anote o código

Antevisão é ver antes de todo mundo!

Mais tarde, nos anos de 1950, o cientista norte-americano Samuel Ruben pegou a criação de Volta e inovou ainda mais. Ele iniciou a fabricação de pilhas alcalinas mais compactas e duráveis e criou, então, pilhas em outro tamanho, a AAA (palito). Ruben criou a primeira pilha? Não! Ele recriou, produziu e reproduziu. Cada vez que alguém põe uma pilha dentro de um equipamento, confirma o poder deste caminho. Ao distribuir as pequenas baterias pelo mundo todo a partir de 1960, a Duracell se tornou uma potência mundial. Mais tarde, a empresa vendeu suas ações para a companhia Berkshire Hathaway por nada menos do que US$ 4,7 bilhões!

Talvez, neste momento, você pense: “Esses exemplos estão muito distantes da minha realidade. Eu não sou um enciclopedista, não entendo nada de pilhas, não sei nem fazer brigadeiros nem tocar violão para criar um hit de sucesso”. Então, eu vou contar a você a história de Lonnie Johnson, um afro-americano nascido no estado do Alabama, em 1949. Quando ele era ainda criança, quebrou a boneca de sua irmã para ver o que fazia os olhos do brinquedo fecharem. Numa outra ocasião, tentando criar combustível para foguetes em uma das panelas de sua mãe, Johnson quase incendiou a casa da família. Ele era um observador nato! Anos mais tarde, quando se tornou engenheiro aeroespacial e foi trabalhar na NASA, achou que tinha atingido o ápice de sua carreira. Estava conformado em viver como funcionário do governo norte-americano, pois precisava do salário para sustentar sua mulher e seus quatro filhos. Johnson, no entanto, acabou se tornando milionário. Como? Ele projetou uma pistola d’água que recebeu o nome de Super Soaker e, até hoje, está no Top 20 dos brinquedos mais vendidos do mundo!

Em 1982, Johnson estava experimentando um novo tipo de sistema de refrigeração que usaria água no lugar de gases CFCS (clorofluorocarbonos), que danificam a camada de ozônio da atmosfera. Durante seus experimentos, o engenheiro conectou um bocal mecanizado à torneira da pia do banheiro e acabou gerando um forte fluxo de água que se esparramou para todos os lados. Em vez de pensar: “Que droga, fiquei encharcado”, Johnson observou o jato e imaginou uma pistola de água com pressão de ar para seus filhos brincarem durante o verão. No porão de sua casa, ele produziu um protótipo com peças de acrílico e o entregou nas mãos de sua filha de seis anos. Ao observar como as crianças se divertiram com o invento, Johnson decidiu solicitar uma patente. Três anos depois, em uma feira anual de brinquedos, o engenheiro conseguiu convencer o vice-presidente da Larami Toys, à época uma poderosa companhia de brinquedos, a investir em seu projeto. Sabe o que aconteceu? A Super Soaker faturou mais de 200 milhões de dólares em vendas. Até mesmo Michael Jackson e o atual presidente dos Estados Unidos, Joe Biden, foram flagrados usando a pistola d'água em batalhas aquáticas com suas famílias. Lonnie Johnson deixou a NASA, produziu outras invenções e, com o dinheiro arrecadado, fundou duas novas empresas de tecnologia no estado da Geórgia, onde vive até hoje. Entre os seus projetos em andamento, estão pesquisas para a captura e a conversão de calor em eletricidade, o que pode vir a favorecer milhões de pessoas em todo o mundo. Johnson continua decodificando a natureza!

Anote o código

Reproduzir é nunca parar de captar e adaptar!

Recapitulando: não importa o que você se disponha a criar. Não faz diferença se vai partir do zero ou aproveitar recursos preexistentes. Você não precisa, tampouco, ser um inventor como Volta, Ruben ou Johnson. Basta lembrar que o verbo *bará* está embutido em todo o Reino de Deus! Quem não edificar grandes coisas não vai ficar marcado na história. Quando você não edifica, não fica nada! Construa coisas maiores do que legado, construa coisas para o Reino de Deus.

Anote o código

Comece hoje a edificar!

Eu costumo ouvir bastante gente dizer: "Eu moro em um lugar muito pequeno. Não tem nada para eu fazer ou criar". Ora, se você mora no meio do mato, se tem apenas um boi e uma vaca, pode começar a criar, produzir e reproduzir riqueza. Muitos pecuaristas de Goiás começaram com apenas um macho e uma fêmea e formaram grandes rebanhos. A palavra "pecuária", por sinal, tem origem no latim e quer dizer "criação de gado". *Pecus* significa "cabeça de gado" e possui a mesma raiz latina de "pecúnia" (moeda, dinheiro). A criação de gado é uma das profissões mais antigas do mundo e deriva do aperfeiçoamento da atividade dos caçadores-coletores que já povoavam a Terra há cerca de 100.000 anos. Primeiro, eles aprenderam a aprisionar os animais vivos. Depois, a realizar o abate e, na sequência, perceberam a possibilidade de administrar a sua reprodução. Pecuária, portanto, é criar, produzir, reproduzir!

Aquele que cria o gado, produz o queijo com o leite da vaca, fabrica sapatos com o couro, vende o sêmen do boi para reproduzir aprendeu mais ainda sobre o caminho da riqueza. Mas aquele que não engorda o boi ou a vaca é obrigado a comprar a carne e o leite no supermercado. Se você tem o boi e a vaca, mas não produz nada a partir deles, ou deixa que os animais morram, está bloqueado. Se você produz o leite, mas não fabrica queijo, não reproduz, portanto você não escala e não aumenta as suas possibilidades de riqueza. Ainda, se você põe a culpa na falta de chuva, na qualidade do pasto, no preço da arroba de boi, você instalou o drive da pobreza no seu cérebro em lugar do drive da riqueza. Você não soluciona problemas, portanto você não cria!

Anote o código

Criar é produzir!

Se você quer começar a criar, precisa se dispor a ser produtivo. Ninguém se torna um bom criador se passa o dia dormindo, pendurado nas redes sociais, de frente para a TV ou fazendo fofoca. Criar não precisa ser mirabolante. Comece a focar as pequenas coisas que podem mudar o seu dia a dia e o de pessoas próximas. Não se preocupe com os erros nem se paralise buscando defeitos. Desvie do viés da negatividade. Quem age dessa maneira não aprende nem se envolve em grandes projetos por medo do que os outros vão dizer. Não seja perfeccionista! Comece, adapte e corrija quantas vezes precisar até acertar. Criar exige decisão e isso significa assumir uma rota inédita. Jamais aguarde pelo estado perfeito das coisas para começar a criar. Para Deus, perfeição é prosperar. E prosperidade é crescer um pouco em tudo e em tudo um pouco de cada vez. A riqueza é o fruto do crescimento. Quando você começar a criar, a produzir e a reproduzir, tenha paciência. Os pequenos avanços representam algo muito importante: aprendizado. Todo tempo é tempo de fazer algo, mas nunca será o tempo de fazer nada. Nunca deixe de fazer absolutamente nada por medo. Vá chorando e esmurrando, mas não pare. Se você vive com desculpas, nunca vai prosperar neste ou em outro dos sete caminhos.

Anote o código

Coloque as suas mãos em algo e faça!

Contemplar é
o primeiro passo
para criar o
que as pessoas
precisam ou
desejam e ainda
não se deram
conta.

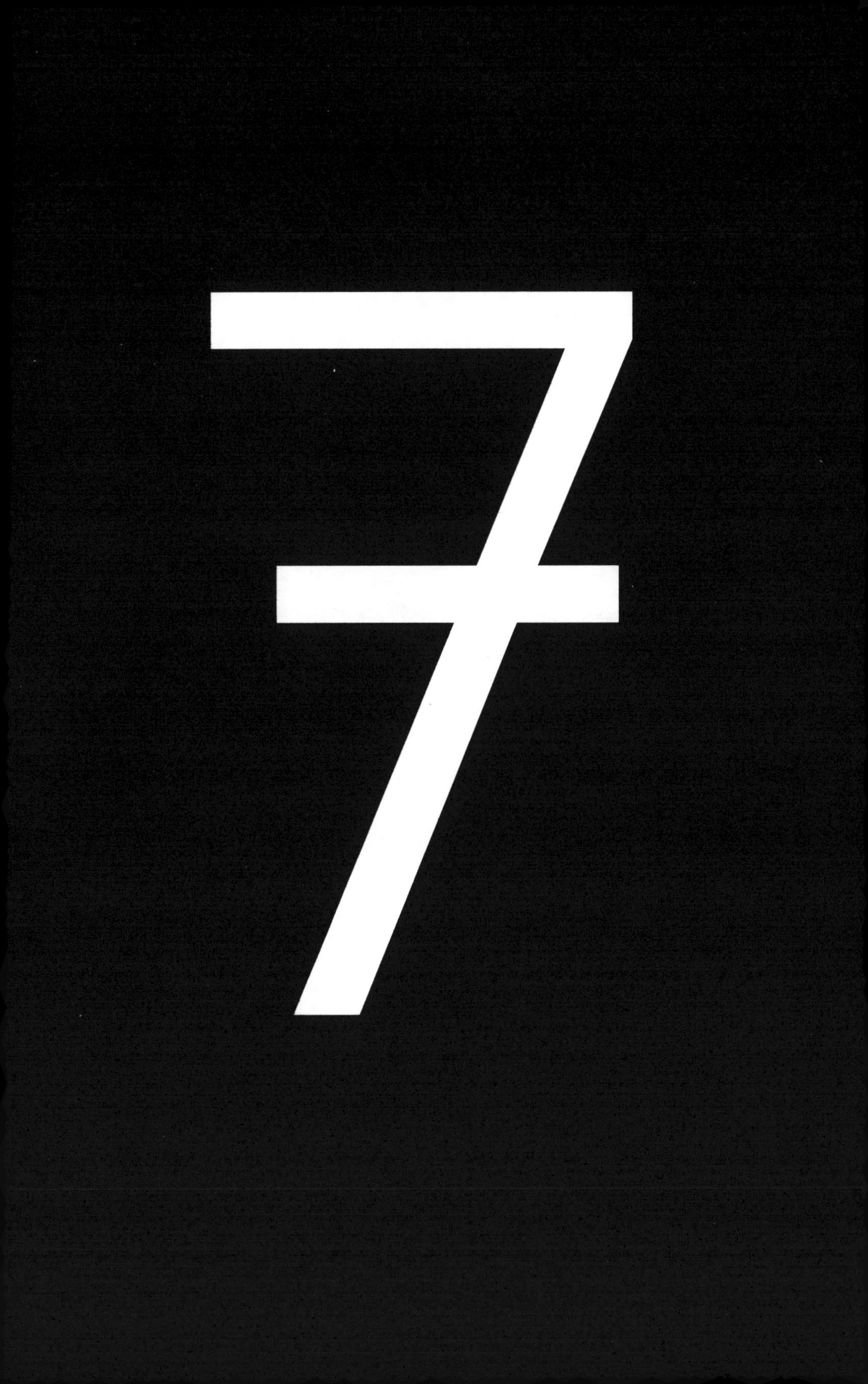

7

7º Caminho da riqueza

storytelling

É uma história, uma novela, na verdade, um desenrolar que leve as pessoas a desejarem ouvir esse enredo. Não é sobre você! Preste atenção: ninguém quer ouvir a sua história, a menos que ela revele muito sucesso. Se necessário, conte a história de um terceiro, porque a sua não interessa a quase ninguém. Na verdade, é uma tríade em que, enquanto é contada a história de um terceiro, eu entro na história e levo você para dentro do roteiro, e, neste momento, acontece uma ponte, o futuro, e quando se consegue ir para o futuro, a pessoa não quer mais voltar atrás, esse é o poder do storytelling, o cérebro ama isso, é um verdadeiro "perfume cerebral", e não se assuste caso se depare novamente com esta expressão. Ela é reveladora!

Preste atenção: não significa que você não vai contar suas próprias histórias, mas que haverá sempre alguém como protagonista das histórias que você conta, pois aquele que conta histórias sempre tem a próxima a construir. Quem conta a respeito do que vive será lembrado eternamente. A vida é um storytelling, este é um dos caminhos mais poderosos da riqueza.

As pessoas mais formidáveis, inesquecíveis e admiráveis que eu já conheci são aquelas que contam boas histórias. Elas não estão focadas somente em divulgar e vender produtos, aparecer em fotografias e vídeos, aumentar seus seguidores e ganhar fama. Elas se utilizam desses e de outros recursos, mas para montar uma narrativa tão envolvente e interessante que o resultado positivo surge naturalmente.

O nome disso é storytelling, junção de duas palavras em inglês, "*story*" (história) e "*telling*" (contar). Criar um enredo envolvente nada tem a ver com ficção ou romances, o foco está em comunicar o conteúdo que você deseja promover de maneira inspirada e relevante. Ao transmitir mensagens cativantes por meio dessa estrutura, você consegue direcionar a ação como convém aos seus interesses e projetos. Seu leitor, ou sua audiência, embarca em sua jornada de corpo e alma. Você vira um encantador de pessoas, um verdadeiro ímã de riqueza.

Anote o código

O storytelling não é para todo mundo. Apenas para quem sabe como contar histórias.

Alguns anos atrás, Luke Aker, um cineasta que vive na Flórida, Estados Unidos, enfrentou uma dificuldade igual à de muita gente: vender seu antigo carro. Ele tinha um Nissan Maxima, ano 1996, que já estava com os bancos de couro rasgados e o capô preso por uma cinta. Para divulgar a venda de seu carro ele gravou um vídeo criativo, contando de forma sincera e realista por que o carro estava à venda. Em nenhum momento Luke escondeu o estado do veículo. E aí está um código pesado, não só do seu sucesso, mas de um storytelling legítimo: a verdade sempre. Sempre use a verdade no storytelling, por mais básico que isso pareça ser. Seu storytelling foi tão eficaz que ele conseguiu vender o automóvel no mesmo ano, para a própria Nissan! A empresa aproveitou a popularidade do vídeo e perguntou ao público o que deveria ser feito com o carro, que votou pela restauração do veículo. Veja que poder assustador!

Na área de marketing, o uso de storytelling é um recurso igualmente precioso. Por meio dele, a marca ativa emoções, sentimentos, compartilha valores e lança incentivos capazes de influenciar, positivamente, a opinião dos clientes. Essa ferramenta é uma boa carta na manga para convencer pessoas e construir algo fundamental: interação. Sabe por quê? Porque ninguém resiste a uma boa história. Pense: o que mais prende a audiência dos telespectadores da maior emissora de televisão brasileira? Acertou quem respondeu a palavra "novela". Ao se apaixonar por uma obra de ficção, o público se transforma em audiência fiel, que se traduz em contratos publicitários milionários.

Em função do enredo, que evolui a cada capítulo, quem segue a história fica tão envolvido com os personagens, seus conflitos, problemas e soluções, que se torna até mesmo predisposto a repetir certos bordões e a vestir roupas iguais ao figurino da estrela. Esse comportamento, no entanto, não é despertado por meio de um discurso direto. O ator não vai se dirigir a você e dizer: "Ei, você aí do outro lado da telinha!". Os gatilhos que fazem o telespectador se movimentar junto das personagens estão embutidos no desenrolar da narrativa, às vezes até mesmo na forma de merchandising. E sabe o que acontece quando a história é boa de verdade? Faz você, como num passe de mágica, se sentir dentro dela. Para governar sobre este caminho da riqueza, você deve fazer as pessoas embarcarem na sua história sem perceber!

Anote o código

Quem não conta uma história vai estar sempre enxertado na história de quem conta.

Você sabe por que razão a Bíblia é um livro tão poderoso? Porque reúne os melhores storytellings do mundo. E sabe o que é mais assustador? Ela é o storytelling de uma única pessoa, Jesus Cristo. São 1.189 capítulos e mais de 33.000 versículos com enredos tão impactantes que fica impossível permanecer indiferente, pois todos apontam para Cristo. Em Gênesis, Ele foi o cordeiro sacrificado para cobrir a nudez de Adão e Eva. Colossenses 2:3 diz que tudo foi feito em mistérios e revelados em Jesus. O livro de Levítico fala sobre a lei, mas quem era a lei? Jesus. É por isso que quando Ele veio à Terra a lei não deixou de existir. Ele veio para cumprir a lei e não para anulá-la.

Tudo é d'Ele, por Ele e para Ele porque sem Ele nada seria. Isso significa que Jesus já estava antes da fundação do mundo. Veja, Ele vai voltar, vai governar sobre a Terra; a história é somente d'Ele. Mas ainda há pessoas que não entendem. O livro todo é sobre Cristo! Além disso, Ele mesmo foi o maior contador de histórias de todos os tempos, o maior *storyteller*, e, apesar de todas as histórias serem sobre Ele, elas jamais foram narradas em primeira pessoa. Jesus narrava parábolas que faziam as pessoas se identificarem com as situações; dessa maneira, criava forte conexão emocional com todos os Seus ouvintes. Jesus sabia, como ninguém, cativar e chamar a atenção das pessoas para o que era proclamado por Ele. Não por acaso, as multidões o rodeavam e o ouviam durante horas, muitas vezes viajavam ao seu lado pela Galileia, apenas para participar de Suas narrações. O storytelling não é para todos entenderem, apenas os que têm a ver com o que está sendo contado. Eu falo para quem entende o storytelling que arde no meu coração, entenda isso.

Anote o código

Aproxime as pessoas de sua história por meio da emoção.

Outra característica poderosa do storytelling é fazer com que os fatos não se desenrolem de uma só vez. Existe uma jornada, uma trilha a ser seguida, etapas que levam quem acompanha para o alvo que você quer alcançar, o auge de sua história. Quando você consegue fazer as pessoas avançarem, elas não querem mais voltar ao ponto de partida, pois esperam ser surpreendidas com o que virá a seguir. Elas desejam conhecer o fim da jornada que você começou a contar! É por isso que muita gente acompanha os capítulos de uma novela por meses. As histórias ficam grudadas no fundo da mente, como chiclete. Cada cena influencia o pensar e o agir de quem a assiste. Isso é explicado pela Neurociência, que abrange muitas áreas de estudo sobre o sistema nervoso central, a rede de comunicações do organismo humano.

Anote o código

Conte a história que você criou em etapas.

Os neurologistas utilizam um termo denominado "neurocinema" na hora de estudar quais partes de um filme exercem mais ou menos controle sobre o cérebro do espectador. Sabe por que você chora diante de uma cena, por exemplo, mesmo sabendo que tudo não passa de ficção? Porque o seu cérebro reage como se ela fosse real! Por meio de cortes, ângulos de câmera, música e composições de cenário, o que é mostrado na tela domina as suas respostas cerebrais. Isso significa que você consegue sentir as emoções e visualizar o ciclo das personagens, como se participasse da ação. Enquanto isso, o seu cérebro libera dopamina, um neurotransmissor que proporciona a sensação de prazer e de bem-estar, tornando a experiência ainda mais estimulante.

Anote o código

O storytelling é um perfume para o cérebro.

Essa sincronia cerebral da ficção acontece também no caso do storytelling que você constrói, o que torna esse caminho da riqueza extremamente perigoso se não for usado com responsabilidade. As respostas cerebrais de quem ouve se unem às respostas cerebrais de quem conta a história. Assim, lentamente, elas se tornam semelhantes. De acordo com Uri Hasson, professor de psicologia e neurociência da Universidade de Princeton (EUA), esse alinhamento cerebral, chamado de "neural coupling" (algo como 'acoplamento neural'), é a chave para conectar os ouvintes ao contador do storytelling. Se você não usar esse incrível poder de maneira ética, vai prejudicar a si mesmo e aos demais. As campanhas eleitorais são um bom exemplo do uso desse recurso de maneira deturpada. Parafraseando as palavras de Barbara Czarniawska, professora da Universidade de Gotemburgo, "as histórias também podem ser armas no campo de batalha entre um político honesto e um político corrupto". O Brasil está repleto de políticos que foram eleitos graças a storytellings bem-feitos. O povo compra a história, se deixa levar por ela, porque um roteiro bem construído gera conexão e autoridade.

Muita gente conta histórias mentirosas de maneira tão convincente que todos pensam serem verdadeiras. Desde que a história seja boa, até mesmo você corre o risco de acreditar em sua própria mentira! Não faça isso. Trabalhe apenas com a realidade na hora de construir o seu storytelling. Faça como Luke, o dono daquele velho Nissan. Diga a verdade sempre e alcance o inesperado. Por mais básica que seja a história que você deseja contar, priorize a autenticidade. Não tente dourar a pílula nem florear demais para que a sua história fique mais bonita ou seja persuasiva. Falsear pode pôr tudo a perder: a sua credibilidade, o seu negócio, a sua riqueza! Imagine que você construiu um edifício de vinte andares. Cada um deles apresenta uma verdade, menos o primeiro. Se você remover o "andar da mentira", sabe o que acontece? A estrutura inteira desmorona. Se você elevar a mentira na cobertura, por outro lado, ela irá pesar tanto que vai soterrar todos os andares. Os seus dezenove andares feitos de verdade não resistirão a um construído com mentira.

Anote o código

Ao criar um storytelling, seja verdadeiro.

Jesus conhecia tão bem o Seu público e o que seus seguidores precisavam compreender que criava abordagens distintas e inusitadas para aqueles com quem Se comunicava. Quando falava com os fariseus, por exemplo, Jesus criticava sua hipocrisia (Lucas 6:39-42); para os que ainda não O conheciam, pregava o arrependimento (parábola da ovelha perdida, em Lucas 15:4-7); aos cristãos, pedia que se mantivessem fiéis e vigilantes (parábola do ladrão da noite e parábola do mordomo fiel, em Lucas 12:39-48). Essa lição é muito importante! Ela ensina que você deve encontrar o público interessado no que você de fato tem a dizer e adequar o seu conteúdo. Só assim você vai moldar uma conexão íntima e verdadeira para governar seu caminho da riqueza. Os storytellings de Jesus são tão bons que funcionam há mais de dois mil anos. Justamente porque são a verdade!

Anote o código

Conheça sua audiência antes de criar o seu enredo.

Observe que, como já foi dito, em todas as quase sessenta parábolas contadas por Jesus, Ele nunca contou uma história a respeito de si mesmo. Como contei anteriormente, ele relatava todas as situações protagonizadas por terceiros. Assim, cada pessoa podia se pôr no lugar das personagens e compreender melhor a mensagem de Deus para o Seu povo. Com isso, eu quero dizer que você não deve tentar ser o protagonista do seu storytelling. Esse caminho não diz respeito à sua biografia, não é sobre você! É sobre conduzir pessoas a um destino. Ninguém gosta de quem fala somente a respeito de si mesmo. Você pode ter passado por muitas aventuras; ainda assim, elas sempre serão fatos pessoais. Para se tornar tema de um storytelling, primeiro você precisa se tornar relevante. Enquanto isso não acontece, prefira contar a história de outra pessoa! Assuma o papel de coadjuvante, inclua quem estiver ouvindo dentro de sua trama e faça com que ele se conecte verdadeiramente à história contada por você, por intermédio da emoção. Desperte sentimentos!

Anote o código

Você não precisa apelar. Basta fazer a pessoa sentir!

Assim como nem todo mundo sabe contar piadas, muita gente não sabe descrever histórias nem protagonizar eventos. Por que alguns apóstolos de Jesus ficaram menos conhecidos dos cristãos do que outros? Justamente porque eles não tinham tantas histórias interessantes. Não experimentaram "pontos de virada", aquelas reviravoltas na história que mudam o curso da trajetória das personagens. A jornada de José do Egito, filho de Raquel e de Jacó, ficou muito conhecida porque ele passou por uma série de situações surpreendentes. Ele foi vendido como escravo pelos próprios irmãos, acabou preso acusado injustamente de seduzir a mulher de seu patrão, tornou-se rico ao interpretar os sonhos de um faraó. Mesmo que você não seja um leitor da Bíblia, certamente já ouviu falar em algum momento sobre as venturas e desventuras de José.

Anote o código

Crie uma história com múltiplas emoções.

Os melhores storytellings da Bíblia são aqueles guiados por comportamentos. Sabe por quê? Porque o ser humano tende a sentir primeiro e a pensar depois. Os dois elementos fundamentais do storytelling, portanto, são o sentimento e a emoção. Mas existe uma diferença entre sentimento e emoção. O sentimento envolve percepção e avaliação. É resultado da interpretação da realidade. A emoção, por sua vez, é a reação imediata a um estímulo, algo que mexe com você e que dá origem aos sentimentos. Em outras palavras, os sentimentos refletem como uma pessoa se sente diante de determinada emoção. Na parábola do bom samaritano, por exemplo, um personagem principal está em profundo sofrimento: ele foi assaltado, espancado e largado na estrada sem roupas, quase morto. Essa ilustração já é suficientemente capaz de despertar compaixão, mas Jesus vai além: Ele conta que um sacerdote e um levita passaram pelo homem, mas não o socorreram. Ao introduzir esse elemento, Jesus desperta uma nova camada de emoções no público: indignação, raiva, revolta. Quando o samaritano finalmente resgata o homem assaltado, tudo isso dá lugar ao alívio. Por experimentarem múltiplas emoções, as pessoas que escutam a parábola se conectam à história em um nível muito mais profundo.

Anote o código

A identificação é a chave para um storytelling memorável.

Se você quer ser relevante e contar histórias memoráveis, mova a emoção de dentro de você e a devolva para o mundo. Quer um exemplo de como isso funciona nos dias atuais? O braço canadense da marca de fraldas Huggies sabia que, para competir com a Pampers (a líder de mercado que, em 2016, tinha 100% dos contratos hospitalares canadenses), precisaria fornecer uma razão tangível e emocional para as mães escolherem a marca antes de chegarem à maternidade. A resposta acabou por ser o próprio nome da marca: "hugs" – em português, abraços. Baseada em estudos sobre a importância do contato da pele para estabilizar os sinais vitais dos bebês, a marca criou um storytelling destinado a "não deixar nenhum recém-nascido sem abraço". As vendas subiram 30% e taxa de engajamento 300% mais do que os benchmarks (índices de referência) da indústria. Essa campanha prova o poder de contar uma história que compartilha conhecimento e que transborda!

Anote o código

Quem sabe ler sentimento e emoção transforma qualquer história em explosão.

É muito interessante observar que os livros bíblicos, completamente formados como conhecemos, nasceram somente cerca de 500 anos depois do terceiro rei de Israel. Ainda assim, alguns livros ou trechos importantes foram atribuídos a Salomão, mesmo não tendo sido escritos por ele. Sua fama é derivada, sobretudo, da história contada em 1 Reis 3,16-28, quando o filho de Davi precisa escolher entre duas mulheres que se diziam mães da mesma criança. Esse storytelling se espalhou por todo o Oriente (e até Ocidente), sendo conhecido mesmo por não cristãos. A própria Bíblia conta que a rainha de Sabá, da Etiópia, quis visitar Salomão em Jerusalém, depois desse julgamento, impressionada por sua sabedoria. Ela ofereceu a ele inúmeros tesouros para que Salomão respondesse às suas próprias dúvidas. Por causa dessa "façanha", diversos escritores, que viveram muito tempo depois de Salomão, atribuíram a própria obra a ele, no intuito de garantir que se tornasse mais conhecida. O último rei de Israel virou sinônimo de credibilidade graças ao storytelling construído em torno dele, uma espécie de marca registrada. E mesmo tendo pedido a Deus somente sabedoria, Salomão se tornou o rei mais rico de todos os tempos!

Finalmente, eu quero dizer que você não deve ser aquele tipo de pessoa de um storytelling só. Também não construa histórias sem sentido. Muito menos exagere nas alegorias. Às vezes, uma boa imagem e uma legenda contam a história certa naquele momento. Em outras, você precisa introduzir mais elementos para impactar a sua audiência. Com tempo e estudo, você será capaz de assumir o controle sobre este caminho. Faça como Salomão e use-o com bastante sabedoria.

Anote o código

A vida é um storytelling. Não estacione na mesma temporada.

Quem sabe
ler sentimento
e emoção
transforma
qualquer
história em
explosão.

8º Caminho da riqueza

digital: INFO, TECH e ACCESS

Todos nós vivemos conectados. Criamos e transmitimos dados o tempo todo. Dados são uma matéria-prima importantíssima para gerar e potencializar novas fontes de riqueza. Isolados, eles não valem absolutamente nada. Zero. Os dados precisam ser transformados em informação para que gerem valor. E não estou falando sobre as informações que você conhece, como as notícias publicadas em jornais, sites ou revistas. Também não estou falando em marketing digital. Atenção, não se confunda. Eu estou falando sobre a informação gerada pela análise minuciosa e estruturada de uma base de dados. Quando essa informação é devidamente examinada, ela se transforma em uma ferramenta poderosa que pode ser usada para a tomada de decisões e a criação de estratégias que levam à riqueza. Resumindo: quando você coloca os dados que possui sob determinada ótica e contexto e os observa, eles se convertem em informação. Se essa informação for útil, você poderá usá-la para gerar valor. É isso que eu chamo de INFO.

Anote o código

Informação estruturada tem mais valor do que dados.

Os dados estão por toda parte, mas a era digital multiplicou sua ampliação. Se você parar para pensar, vai constatar que a humanidade gerou, apenas nos últimos cinco ou seis anos, quase 90% da informação registrada em toda a história. Atualmente, a quantidade de dados armazenados é de aproximadamente 44 trilhões de gigabytes – e esse número, que já é astronômico, não para de crescer. Mas boa parte desses dados é totalmente inútil. Não serve para absolutamente nada. Em um único dia, por exemplo, o total de selfies feitas nos mais de 6 bilhões de smartphones vendidos até 2020 no mundo representa muito mais do que o total de todas as imagens produzidas no século 18. Mas, você, provavelmente, não vai ficar rico clicando fotos de si mesmo, certo?

A quantidade de dados é tão grande que se faz necessário desenvolver novas tecnologias capazes de suportá-la e armazená-la para que não se perca. Foi assim que surgiu, por exemplo, a computação em nuvem. Seus dados não ficam mais aí no seu computador. Eles podem ser enviados para servidores localizados a milhares de quilômetros de onde você está agora, e ainda assim você pode acessá-los quando quiser. Acontece que esses dados armazenados também não têm qualquer valor econômico até serem processados por meio da inteligência digital e da tecnologia da informação. Ao passarem por esse processo, eles se transformam em informação útil. Quando essa informação se une à tecnologia, ela pode ser monetizada por intermédio de plataformas como o Google, a Amazon, o Facebook, o Spotify. É isso que eu chamo de TECH.

Agora, digamos que você tenha a tecnologia para coletar dados automaticamente, processá-los e transformá-los em informação relevante, mas não possua uma plataforma digital capaz de utilizar tudo isso na prática. Isso significa que você não tem, ainda, o terceiro elemento digital essencial para gerar riqueza: o ACCESS. Você tem os dados, os transformou em informação, só não sabe onde poderá utilizá-los. Sem este último elemento, tudo o que você tem continua valendo zero. Portanto, você precisa somar INFO, TECH e ACCESS para realmente decolar. Quando eu digo somar, não quer dizer que você precisa ser o dono de cada processo. Observe que as plataformas digitais não criam, fabricam nem produzem absolutamente nada. No entanto, elas fornecem algo extremamente valioso: acessibilidade. O aplicativo Uber, por exemplo, é um ACCESS. Ele não fabrica automóveis, não busca você em casa, não o leva no colo até o restaurante onde você deseja almoçar. Nenhum funcionário do aplicativo Uber Eats bate à sua porta carregando uma pizza. Ele simplesmente junta quem oferece um serviço (o restaurante) com quem deseja se alimentar (você), por meio de pessoas que também não são donos de nada, mas se cadastram para cumprir uma finalidade (entregar). Em outras palavras, a acessibilidade cria uma ponte entre o produto e o consumidor, o desejo e a oferta.

Anote o código

Access é fazer dois polos se beijarem.

A Netflix é outro exemplo de companhia bem-sucedida no ramo do ACCESS. Ela dá acesso para que assinantes de sua plataforma assistam ao conteúdo produzido por terceiros. Mas não para por aí. A companhia aproveita para coletar as suas preferências e processá-las por meio de inteligência artificial (INFO), com a finalidade de disponibilizar novos conteúdos para manter e ampliar a sua base de assinantes, gerando ainda mais riqueza. Até 2020, o valor de mercado da Netflix representava nada mais, nada menos, que US$ 225,4 bilhões.

Anote o código

Digital é um processo.

O caminho digital é tão poderoso que você não precisa se preocupar com nenhum dos sete caminhos anteriores se conseguir compreendê-lo, estudá-lo e governá-lo. A primeira vez que eu me dei conta da importância desse canal aconteceu quando decidi fazer o download de um filme para o meu computador. Eu fiquei realmente maluco por entender a tecnologia por trás das imagens e dos sons sendo transformadas em dados, enviados através de um cabo, e surgirem na minha tela, mesmo que naquela época a velocidade da internet fosse muito baixa e a qualidade deixasse a desejar. Deve ter sido pouco antes do ano 2000, quando a principal preocupação dos programadores era o "*bug* do milênio". Também conhecido como "problema do ano 2000", o tal *bug* ficou marcado pelo medo coletivo de que, na virada do ano de 1999 para o 2000, os computadores não entendessem a mudança de data e houvesse uma pane geral em sistemas e serviços, especialmente os bancários. Isso porque, desde os anos 1960, as máquinas usavam calendários internos com apenas dois dígitos. Surpreendentemente, houve poucas falhas decorrentes do *bug* do milênio, que se revelou quase inofensivo, uma vez que a maioria das empresas e dos consumidores domésticos havia adquirido computadores com sistemas operacionais já preparados para o problema. Ainda assim, a minha mente quase sofreu um curto-circuito. Eu fiquei realmente ansioso para entender como funcionava toda aquela tecnologia e descobri que tudo o que acontece no universo digital é fruto dos algoritmos.

Anote o código

O algoritmo é o que faz tudo funcionar no universo digital.

Do ponto de vista computacional, algoritmo é o conjunto de etapas que um software precisa realizar para chegar a um resultado. Absolutamente tudo que o seu computador faz pode ser traduzido em algoritmos. Usar algoritmos é sobre criar estratégias precisas para fracionar problemas reais em instruções para gerar solução. Digamos que o problema seja fazer uma calculadora funcionar. Você também pode pensar em algoritmos como uma receita ou um manual de instruções, que mostra o passo a passo para a resolução de determinada tarefa.

Existem diversos tipos de algoritmos. Fluxograma é algoritmo, por exemplo, se você estabelecer, detalhadamente, todos os passos sobre o que fazer para sair do ponto A para o ponto B. Uma descrição narrativa é outro tipo de algoritmo. Digamos que o pneu do seu carro furou e você desenvolveu o seguinte passo a passo: troca de um pneu furado, afrouxar ligeiramente as porcas, suspender o carro, retirar as porcas e o pneu, colocar o pneu reserva, apertar as porcas, abaixar o carro, dar o aperto final nas porcas. Pronto, você criou um algoritmo.

Hoje em dia, os algoritmos de inteligência artificial promovem estratégias de comunicação assertivas a partir do conhecimento captado, minerado e analisado a partir dos dados pessoais que você gera em suas interações no ambiente digital. O famoso "algoritmo do Google", por exemplo, revolucionou o mercado porque surgiu com a capacidade extra de dar peso às páginas com as informações mais relevantes para o usuário, enquanto outros buscadores entregavam somente resultados genéricos. Já o EdgeRank, o algoritmo do Facebook, decide o que você vai visualizar em sua página a partir das referências cruzadas entre o que os seus amigos curtem e compartilham e o que você considera interessante. E como "ele" descobre isso? A partir de suas próprias curtidas e comentários. O mesmo acontece quando você ouve músicas no Deezer ou no Spotify, faz compras em lojas on-line, e até mesmo assiste aos vídeos que eu posto em meu canal no YouTube.

Anote o código

Algoritmo é o fator econômico mais poderoso da história.

Eu tenho a mais absoluta certeza de que, no futuro, o próprio sistema nervoso do ser humano será governado pelos algoritmos. O mais recente investimento de Elon Musk, sul-africano radicado nos Estados Unidos e um dos homens mais ricos do mundo, é um chip que, afirma Musk, permitirá controlar celulares e computadores apenas com a mente. Ele batizou a empresa de Neuralink. Em abril de 2021, Musk compartilhou em uma conversa no aplicativo Clubhouse (outro ACCESS) o vídeo de um macaco jogando videogame "telepaticamente". Com nove anos de idade, Pager utilizou apenas a mente para guiar o rumo do jogo "Pong". Para isso, a Neuralink implantou o dispositivo no córtex motor do cérebro, área responsável por executar movimentos das mãos e dos braços. Em junho do mesmo ano, um homem tetraplégico, paralisado do pescoço para baixo, foi capaz de gerar letras em uma tela de computador em tempo real ao imaginar estar escrevendo com uma caneta na mão. Para realizar a façanha, os cientistas das universidades Stanford, Brown e Harvard, todas nos Estados Unidos, usaram chips implantados no cérebro do paciente para detectar os padrões cerebrais envolvidos na escrita de cada letra. Os eletrodos transferiram esses padrões a um algoritmo capaz de ler e traduzir a atividade cerebral. O movimento detectado no cérebro correspondente a uma letra se tornava a versão digitada em uma tela. Embora essas e outras tecnologias similares ainda estejam em etapas iniciais, sua evolução é acelerada.

Os objetos e o mundo físico estão sendo substituídos por opções digitais. A tecnologia influencia o seu comportamento, mesmo que você não se dê conta. Se a sua avó se levantava para trocar o canal da TV e a sua mãe usava o controle remoto, hoje você pode fazer a mesma coisa usando a tela do seu smartphone. Você não precisa mais apertar uma tecla para ouvir música. Basta enviar um comando de voz e dizer qual a canção que deseja ouvir.

Anote o código

Nós somos uma geração governada pela Inteligência Artificial.

Uma das razões pelas quais a Inteligência Artificial prospera, por meio dos algoritmos, é que ela não tem medo de tomar decisões. O algoritmo não precisa parar no sétimo dia para descansar nem tem conflitos emocionais. O algoritmo nunca fica na dúvida. O algoritmo é imbatível porque obedece a razão e repete padrões. Isso pode assustar muita gente, mas eu vou dar a você um segredo.

Anote o código

É você quem decide como o algoritmo vai trabalhar a seu favor.

No século 17, o filósofo René Descartes defendia a teoria do *animal machine*. Descartes sugeria que os bichos eram meros autômatos, incapazes de raciocinar; portanto, suas reações constituiriam apenas reflexos a estímulos externos. A diferença entre um humano e o *animal machine* seria a sua capacidade de pensar. Atualmente, os algoritmos pensam por você. Para não ser engolido por eles e fazê-los trabalhar para a sua riqueza, você precisa assumir o controle. Você deve governar os algoritmos! Você é alguém que vai influenciar ou ser influenciado? Você vai transformar os seus dados em informação útil ou jogá-los pela janela? Você vai usar a tecnologia da acessibilidade para fazer duas pessoas se beijarem ou construir barreiras? Abra a sua mente e se jogue nesse universo, mas comece com moderação. Não queira dominar todo o ambiente digital de uma vez só, ou não vai dar conta. Invista seu tempo analisando quais são os canais certos e as oportunidades certas. Número significa resultado. O que faz uma pessoa crescer? Resultado e multiplicação. Mas multiplicação do quê? De talento. Entenda e domine os algoritmos que aceleram o seu propósito e o aproximam de seus objetivos. Como tudo na vida, é preciso disciplina, comprometimento, organização e trabalho duro. Quebre barreiras, repense, seja disruptivo. Abandone a comodidade e a zona de conforto. Repita bem alto: "Eu não sou apenas um mero criador de dados! Eu sou um criador de algoritmos!".

Anote o código

A tecnologia que faz o trabalho de mil pessoas vale milhões. A tecnologia que faz o trabalho de dez mil pessoas vale bilhões. A tecnologia que faz o trabalho de cem mil pessoas vale trilhões.

É você quem
decide como
o algoritmo
vai trabalhar
a seu favor.

Conclusão

o fim de cada caminho é apenas o começo

Por meio da leitura atenta dos capítulos anteriores, todos os 8 Caminhos da Riqueza contidos no símbolo do infinito agora fazem parte do seu subconsciente. Portanto, é chegada a hora de revisar o que falamos.

Você já compreendeu que dinheiro, somente, não significa governar a verdadeira riqueza. A abundância de que tratamos neste livro vai além da fartura monetária, pois o que de fato interessa não é o que você possui, e sim sua identidade. Você é imagem e semelhança do Criador e tem em si o poder de ser produtivo, de gerar sem parar. Ao entender esse importante código, não importa quantas vezes você venha a perder bens ou dinheiro, pois irá produzir sempre mais. Assim como as águas de um rio sempre retornam para o leito por meio das chuvas, quando acessa o circuito do infinito, a riqueza nunca acaba, porque você experimenta o infinito recomeçar e nunca mais consegue interromper a fonte.

Eu comecei explicando que o **primeiro caminho da riqueza** é aprender a comprar, unir e compartilhar. O segredo para uma boa compra é saber exatamente o que você deseja, ter clareza na negociação e ser verdadeiro ao realizá-la. Vender é compartilhar e não doar, de modo que, antes de divulgar o preço de seu produto ou de seu serviço, é preciso gerar valor e deixar claros os benefícios que só você será capaz de oferecer. Nesse caminho, você também descobriu que multiplicar é compartilhar e o verdadeiro compartilhar é vender. Nas relações de compra e de venda, o objetivo é fazer com que o produto chegue às mãos do maior número possível de pessoas, pois a tendência de uma empresa que não compartilha nem multiplica é fechar e desaparecer.

Não tenha medo de buscar no outro o que for necessário para avançar em seus negócios. Há sempre alguém que detém um conhecimento, uma técnica ou uma tecnologia que você ainda não domina e pode estar disposto a unir forças com você para atingir o mesmo alvo. O nome disso é fusão. Cuidado, no entanto, para não entrar em uma sociedade somente porque precisa de mais força de trabalho, pois não irá somar e sim dividir.

O **segundo caminho da riqueza** estudado é o do conhecimento, da sabedoria e da instrução. A sabedoria é uma das mais valiosas formas de riqueza. Quanto mais você compartilha a sabedoria, mais ela se multiplica, não acaba, é infinita. A sabedoria vai além da inteligência exercida na esfera da mente. Ela é a inteligência experimentada também na esfera do espírito. Em seu mais famoso livro, o de Provérbios, o rei Salomão exaltou a sabedoria. Não é à toa que Salomão é, até os dias hoje, reconhecido como o homem mais sábio do mundo. Não basta, contudo, adquirir apenas o saber. O que faz real diferença nesse caminho é aplicar o que aprende, a fim de não se transformar em simples acumulador. Porque conhecimento é saber e sabedoria é fazer. Para trilhar esse caminho com plenitude se faz necessário, ainda, transbordar. Quem multiplica o conhecimento, por meio da instrução, nunca mais vive na pobreza.

Quando você descobre o poder de trabalhar a sua rede de contatos, ampliá-la, trocar informações e desenvolver relacionamentos com base na colaboração e na ajuda mútua, começa a trilhar o **terceiro caminho da riqueza**, o networking. Cultivar boas conexões significa ampliar o seu acesso a uma rede consistente de pessoas das mais diferentes esferas, que trocam informações e conhecimentos entre si, em um sistema de cooperação e de afinidade. Se você investir em estratégias para compartilhar os seus pontos fortes, poderá contar com uma ferramenta de geração de riqueza praticamente indestrutível.

O **quarto caminho da riqueza** é empreender, que nada mais é do que buscar soluções em lugar de focar os problemas. Agir, mesmo que esteja amedrontado. Empreender representa assumir riscos, enxergar brechas, usar a imaginação para encontrar soluções criativas. Resolver problemas com eficiência e crescer nesse processo. É manter o seu foco na solução e nunca, jamais, na tribulação. Para isso, você precisa mudar de atitude e começar a enxergar as oportunidades ao redor. A melhor maneira de empreender é gerar a transformação que as pessoas anseiam por receber.

No **quinto caminho da riqueza** você aprendeu que absolutamente tudo em nosso planeta gera retorno. O que você necessita levar em conta é que esse resultado pode ser tanto positivo quanto negativo. Para produzir a riqueza, tudo depende de você dar o primeiro passo, se desenvolver, desafiar as próprias crenças limitantes e acreditar no potencial investido em você pelo próprio Deus. Para obter retorno positivo, basta semear corretamente, pois as boas sementes geram resultado, enquanto as que ficam guardadas apodrecem.

A sua capacidade de criação é o **sexto caminho para a riqueza**. Você foi criado por Deus com todos os mecanismos necessários para governar e dominar sobre todas as coisas existentes e escondidas no Reino. Lembre-se de que ninguém cria nada do zero, pois o Senhor já fez isso por nós. Torne-se um coautor e faça o download do que Deus criou. Para trilhar esse caminho você deve começar a cavar, a produzir e reproduzir o que criar. Mantenha-se sempre atento ao seguinte código: os improdutivos nunca acessarão a riqueza. Uma boa maneira de começar a criar é exercitar a observação e a antevisão, que significa ver antes de todo mundo. Identifique o que falta e o que pode ser útil na vida de alguém e governará sobre este caminho.

Uma boa estratégia para pôr o medo em segundo plano e entrar no fluxo do infinito da riqueza mais rapidamente é dominar a técnica do storytelling. Esse **sétimo caminho da riqueza** ensina que você deve percorrê-lo fazendo uso de uma história que desperte a emoção. Revelar para as pessoas o que você tem feito e os resultados de suas ações de maneira criativa transforma qualquer enredo em uma verdadeira obra de arte que todos desejam possuir. Ninguém resiste a uma história bem contada e, se for revelada em etapas, como uma novela, tornará a sua audiência fiel. Esse caminho deve ser trilhado com ética e responsabilidade, por ser extremamente poderoso.

Finalmente, no **oitavo caminho da riqueza**, foi revelado que os objetos e o mundo físico estão sendo substituídos por opções digitais. A tecnologia influencia o seu comportamento, mesmo que você não se dê conta. Compreender como funcionam os algoritmos e de que maneira esses conjuntos de regras criam estratégias para fracionar os problemas e gerar soluções acelera o seu propósito e o aproxima de seus alvos. Para isso, é preciso transformar dados em informação estruturada e construir uma ponte de acessibilidade entre produtos, serviços e o consumidor. O digital é um caminho bastante surpreendente, capaz até mesmo de superar todos os demais.

Agora é com você. Eu espero que todas as informações, lições e códigos contidos neste livro o impactem e elevem o seu entendimento sobre a geração da riqueza. Você recebeu a direção para assumir o controle sobre os oito caminhos que estão contidos no símbolo do infinito, e pode começar a acessá-los. Ao iniciar a sua jornada, anote os seus próprios códigos, estude-os enquanto se aprimora, multiplique e usufrua para se transformar em um agente do Reino que inspira outras pessoas a acessarem a fonte da verdadeira riqueza.

Anotações

2ª reimpressão, março de 2022

Fontes SILVA, NEXT
Papel ALTA ALVURA 90 G/M²
Impressão IMPRENSA DA FÉ